101 PLATOS EXÓTICOS

Título original: *101 Hot & Spicy Dishes*
Publicado por BBC Books, un sello de Ebury Publishing, una división de Random House Group Ltd, 2004

Todas las recetas incluidas en este libro aparecieron por primera vez en *BBC Good Food Magazine*.

Edición a cargo de Sarah Reece
Editora: Vivien Bowler
Editora de proyecto: Sarah Emsley
Diseñadora: Kathryn Gammon
Directora de diseño: Annette Peppis
Control de producción: Arlene Alexander

Edición: Àtona, SL
Compuesto en APG Estudi gràfic, SL

ISBN: 978-84-253-4231-8

Impreso en Gráficas 94, S.L.
Sant Quirze del Vallès (Barcelona).

Depósito legal: B. 1.421-2008

GR42318

101 PLATOS EXÓTICOS

Orlando Murrin

Grijalbo

Sumario

Introducción 6

Entrantes y platos ligeros 10

Pasta y arroz 54

Carnes y aves 86

Pescados y mariscos 138

Cocina vegetariana 168

Postres con un toque picante 190

Índice 212

Introducción

En la mayoría de supermercados puede encontrarse un fantástico surtido de aromas e ingredientes exóticos procedentes de todo el mundo. Han quedado atrás los días en los que la cocina casera se limitaba a los mismos platos de siempre. Ahora cada comida puede ser una aventura y, excepto cuando se quiera repetir, se puede cocinar cada día un plato distinto.

Tenemos todas las cocinas del mundo a nuestro alcance, y los platos picantes se han popularizado. Estos aromas nos transportan a destinos lejanos y cada bocado nos regala la luz del sol. En este libro hemos elegido más de cien de nuestras recetas picantes favoritas y las hemos condensado en una recopilación fácil de comprender.

Todas las recetas han sido probadas en nuestra cocina, de modo que el éxito está garantizado. Además, la selección es equilibrada y contiene información nutricional sobre su contenido en calorías, sal y grasas.

Cada plato es una explosión de aromas y sabores repletos de magia y además, como por ejemplo los filetes de pavo con cítricos y jengibre que aparecen en la fotografía (véase la receta en la página 164) se preparan en menos de una hora y sin demasiadas complicaciones. Tanto si se trata de un tentempié picante para uno mismo como de una cena para seis, la hora de comer no volverá a ser aburrida ni insípida.

Orlando Murrin

Editor de *BBC Good Food Magazine*

Tablas de conversión

NOTA PREVIA

• Lavar bien todos los productos frescos antes de su preparación

TEMPERATURA DEL HORNO

Gas	°C	°C convección	Temperatura
¼	110	90	Muy fría
½	120	100	Muy fría
1	140	120	Fría o suave
2	150	130	Fría o suave
3	160	140	Tibia
4	180	160	Moderada
5	190	170	Mod. caliente
6	200	180	Bast. caliente
7	220	200	Caliente
8	230	210	Muy caliente
9	240	220	Muy caliente

MEDIDAS DE LAS CUCHARADAS

- Las cucharadas serán rasas, salvo indicación contraria.
- 1 cucharadita = 5 ml
- 1 cucharada = 15 ml

Si resulta difícil encontrar un bote de Very Lazy Chillies puede sustituirse por salsa o pasta de chile.

Chupito de satay

3 pechugas de pollo deshuesadas sin piel
3 cucharadas de salsa de soja
1 cucharada colmada de Very Lazy Chillies
2 dientes de ajo picados
1 cucharada de aceite vegetal
1 cucharada colmada de azúcar mascabado
1 frasco de 415 g de salsa satay
1 lima partida por la mitad
12 rodajas de lima

20-30 minutos • 36 raciones

1 Cortar las pechugas de pollo en 36 tiras finas y colocarlas en un bol con la salsa de soja, el chile, el ajo, el aceite y el azúcar. Mezclarlo bien hasta que el pollo quede totalmente impregnado. A continuación, ensartar los trozos de pollo en una brocheta de bambú. Colocar todas las brochetas en una bandeja de horno y guardarlas tapadas en el frigorífico hasta el momento de la cocción.
2 Precalentar el horno hasta una temperatura de 190ºC/gas 5/convección 170ºC. Colocar la bandeja en la zona más caliente del horno durante 19 minutos. Mientras tanto, calentar la salsa de satay en un cazo y repartirla en 12 chupitos o vasos pequeños.
3 Cuando el pollo esté cocido, sacar la bandeja del horno y rociar la carne con el zumo de la lima. Colocar tres brochetas en cada chupito y decorar con una rodaja de lima. Servir templado o frío.

• Cada ración contiene: 89 kilocalorías, 6 g de proteínas, 3 g de hidratos de carbono, 6 g de grasas, 1 g de grasas saturadas, 2 g de azúcar añadido, 0,53 g de sal.

Se puede preparar una reconfortante sopa caliente con algunas sobras de verduras y un toque de curry.

Sopa de verduras con curry

1 cucharada de aceite de girasol
1 cebolla mediana picada
2 tallos de apio picados
2 patatas medianas (350 g aproximadamente en total) peladas y cortadas a dados
1 cucharada de curry
1,2 l de caldo vegetal de pastilla
550 g de restos de verduras hervidas o asadas como coles de Bruselas, zanahorias, chirivías o calabaza, cortadas
yogur natural o nata líquida para acompañar

30-45 minutos • 4 raciones

1 Poner a calentar el aceite en una sartén grande y dorar la cebolla durante unos 5 minutos. Incorporar el apio y sofreír durante 5 minutos. Agregar las patatas y freír durante 2 minutos más, removiendo a menudo.

2 Incorporar el curry, dejarlo cocer durante 2 minutos y agregarlo al caldo. Llevarlo a ebullición sin dejar de remover. Bajar el fuego, tapar y dejar cocer durante 15-20 minutos hasta que las patatas estén blandas.

3 Incorporar las sobras de verduras a la sartén y recalentarlas durante unos minutos. Con un robot de cocina o una batidora, triturar la sopa hasta que tenga una consistencia de puré. Aclarar al gusto con agua caliente o caldo (unos 300 ml) y probar para rectificar de sal. Servir en cuencos con una cucharada de yogur o nata líquida.

• Cada ración contiene: 211 kilocalorías, 8 g de proteínas, 21 g de hidratos de carbono, 11 g de grasas, 1 g de grasas saturadas, 7 g fibra, 0 azúcar añadido, 1,19 g de sal.

Una cena rápida y saludable ideal para toda la familia.
Si se prefiere, puede prepararse con pollo.

Ensalada de pavo cajún con guacamole

2 cucharadas de semillas de sésamo
2 cucharadas de aceite de cacahuete o de girasol
500 g de pechuga de pavo cortada a tiras
1 cucharada de sazonador cajún
1 pimiento rojo sin semillas, a rodajas
120 g de ensalada
130 g de guacamole
200 g de nachos

20-30 minutos • 4 raciones

1 Poner a calentar una sartén o un wok grande, espolvorear las semillas de sésamo y tostarlas durante un minuto hasta que estén doradas. Agregar el aceite, el pavo cortado a tiras, el sazonador cajún y el pimiento rojo y saltear durante 5 minutos, hasta que el pavo tome un color blanquecino.

2 Mientras se está cociendo el pavo, repartir la ensalada en cuatro platos. En cuanto el pavo esté a punto, esparcirlo sobre la lechuga, añadiendo también el jugo. Añadir a cada plato una cucharada de guacamole y unas cuantas tortillas en un extremo.

• Cada ración contiene: 524 kilocalorías, 37 g de proteínas, 35 g de hidratos de carbono, 27 g de grasas, 5 g de grasas saturadas, 5 g de fibra, 0 azúcar añadido, 1,37 g de sal.

Una comida familiar perfecta con tan solo seis ingredientes. A los más jóvenes les encantará ir preparando las tortillas sobre la marcha.

Tortillas mexicanas con chile

500 g de carne picada de ternera
350 g de salsa de tomate con chile
8 tortillas
400 g de frijoles cocidos, escurridos y lavados
1 botella de nata líquida
100 g de ensalada

30-40 minutos • 4 raciones

1 Saltear la carne en una sartén antiadherente hasta que cambie de color. Si se pega, agregar un poco de salsa. Añadir el resto de la salsa y verter 133 ml de agua en la sartén. Llevar a ebullición y dejar cocer durante 15 minutos, removiendo de vez en cuando.
2 Dorar las tortillas de una en una en una sartén durante 1 minuto por cada lado. Mientras tanto, incorporar los frijoles a la carne. Remover y calentarlo durante 5 minutos hasta que los frijoles estén calientes y la salsa haya espesado.
3 Cada uno puede prepararse sus tortillas: rellenarla con un poco de nata, añadirle la carne y un poco de ensalada en el centro, doblar una parte de la tortilla hacia el centro y envolverla con la otra parte para que el relleno quede bien envuelto.

• Cada ración contiene: 604 kilocalorías, 40 g de proteínas, 57 g de hidratos de carbono, 25 g de grasas, 10 g de grasas saturadas, 6 g de fibra, 0 azúcar añadido, 3,14 g de sal.

Es mejor elaborar estos canapés rápidos poco antes de tomarlos, ya que se reblandecen muy rápidamente.

Tortas indias con langostinos

24 langostinos grandes cocidos y pelados
24 minitortas indias listas para comer, todas iguales o surtidas
1 tubo de 200 g de salsa tzatziki
cilantro picado
páprika

10-15 minutos • 24 raciones

1 Envolver los langostinos con papel de cocina y conservarlos en el frigorífico. Colocar las tortas indias en una bandeja. Esta parte puede prepararse hasta con dos horas de antelación.
2 Inmediatamente antes de servir, agregar un poco de tzatziki en cada torta y colocar encima un langostino. Espolvorear el cilantro picado y una pizca de páprika.

• Cada torta contiene: 58 kilocalorías, 5 g proteínas, 4 g de hidratos de carbono, 2 g de grasas, 0 grasas saturadas, 0 fibra, 0 azúcar añadido, 0,92 g de sal.

Para elaborar un delicioso sándwich para los almuerzos entre semana puede doblarse la cantidad de atún.

Tostadas de atún con queso fundido y páprika

200 g de atún en conserva
1/2 manojo de cebollas tiernas cortadas
4 cucharadas de mayonesa
3 rebanadas gruesas de pan integral o de semillas
50 g de queso cheddar rallado grueso
1-2 pizcas de páprika

10 minutos • 2 raciones

1 Precalentar el gratinador a la máxima temperatura. Escurrir el atún y mezclarlo en un bol con la cebolla y la mayonesa. Sazonar con sal y con abundante pimienta negra recién molida.
2 Tostar el pan en el gratinador hasta que tenga un aspecto dorado por ambos lados. Esparcir sobre cada rebanada la mezcla de atún y espolvorear con el queso rallado. Gratinar hasta que el queso esté fundido.
3 Partir las rebanadas por la mitad, espolvorear con páprika y... ¡buen provecho!

• Cada ración contiene (atún en aceite): 613 kilocalorías, 35 g de proteínas, 29 g de hidratos de carbono, 40 g de grasas, 11 g de grasas saturadas, 0 azúcar añadido, 2,25 g de sal.

Basta con colocar todos los ingredientes en una sartén, cocer a fuego lento unos minutos y... ¡abracadabra! La cena está lista.

Cerdo aromático con soja

150 ml de caldo de pollo
2 cucharadas de salsa de soja
1 cucharada de jerez seco
1 cucharadita de *chinese five spice* en polvo o 2 cucharaditas de este mismo condimento en pasta
un trozo de 2,5 cm de jengibre fresco pelado y cortado a láminas finas
1 diente de ajo a láminas finas
1/2 manojo (4) de cebollas tiernas
150-175 g de lomo de cerdo cortado a tiras finas
50 g de fideos de arroz
un chorrito de aceite de sésamo u otro aceite vegetal
1 cucharadita de semillas de sésamo tostadas
1 bolsita de hojas de col china cortadas a lo largo en tiras de 2,5 cm
un puñado de hojas de cilantro

35-45 minutos • 1 ración

1 Colocar el caldo, la salsa de soja, el jerez, el condimento *chinese five spice* en polvo o en pasta, el jengibre, el ajo y la cebolla en una cacerola pequeña con tapa. Al cabo de unos 2 minutos, incorporar el cerdo, taparlo y dejarlo cocer a fuego lento, sin que hierva, durante unos 5 minutos.

2 Verter los fideos de arroz en un recipiente con agua muy caliente y dejarlos en remojo durante 4 minutos. Escurrirlos y mezclarlos con el aceite y las semillas de sésamo.

3 Cuando el cerdo esté a punto, añadir la col china y dejar cocer durante 1 minuto. Para servir, colocar los fideos chinos en un cuenco, cubrirlos con el cerdo y los demás ingredientes, verter el caldo y espolvorear con las hojas de cilantro. No hay que olvidar algunas servilletas de papel a mano.

• Cada ración contiene: 622 kilocalorías, 37 g de proteínas, 48 g de hidratos de carbono, 31 g de grasas, 10 g de grasas saturadas, 2 g de fibra, 1 g de azúcar añadido, 6,18 g de sal.

Esta receta chilena de escabeche, de origen español, combina zumo de limón o vinagre con cebollas, pimientos y especias.

Escabeche de gambas y aguacate

el zumo de 3 limones
5 cebollas tiernas cortadas muy finas
1 cucharada de salsa de tomate
una pizca de orégano seco
300 g de tomates maduros, cherry o de pera, cortados
1 chile verde, sin semillas y picado
400 g de gambas congeladas, cocidas y peladas
2 aguacates maduros
3 cucharadas de cilantro picado

PARA SERVIR
hojas de lechuga iceberg
tortas indias listas para comer

20-30 minutos • 6-8 raciones

1 En un recipiente que no sea metálico mezclar el zumo de limón, las cebollas tiernas, la salsa de tomate, el orégano, los tomates y el chile. Sazonar con sal y pimienta y cubrir con film adhesivo. Esta mezcla puede guardarse en el frigorífico durante tres días.

2 Descongelar las gambas y secarlas con papel de cocina. Antes de servir, pelar y cortar a dados el aguacate. Agregarlo a la salsa con las gambas y el cilantro.

3 Separar cuidadosamente las hojas de lechuga y disponerlas en una bandeja. Esparcir las gambas y el zumo sobre las hojas en forma de cuenco y acompañar con las tortas indias.

• Cada ración contiene: 134 kilocalorías, 12 g de proteínas, 2 g de hidratos de carbono, 8 g de grasas, 1,5 g de grasas saturadas, 1,5 g de fibra, 0 azúcar añadido, 1,9 g de sal.

Si se prefiere pueden cocerse las patatas al horno, sin envolver, durante una hora a una potencia de 200°C/gas 6/convección 180°.

Perrito caliente de patatas asadas con mostaza

4 patatas, cada una de unos 225 g
aceite de oliva
sal marina
2 cucharadas de jarabe de arce o de miel
1 cucharada de vinagre balsámico
2 cucharaditas de mostaza en grano
1 cucharadita de puré de tomate
8 salchichas de cerdo
ensalada, para acompañar

PARA LA MAYONESA DE MOSTAZA
6 cucharadas de mayonesa
2 cucharaditas de mostaza en grano
3 cucharadas de cebollinos o de cebolletas picados

1 hora y cuarto • 4 raciones

1 Untar las patatas con un poco de aceite, sal y pimienta negra. Envolver cada patata con una doble capa de papel de aluminio y cocerlas en la barbacoa durante una hora, dándoles la vuelta a menudo, hasta que estén cocidas.
2 Mezclar el jarabe de arce o la miel, el vinagre, la mostaza y el puré de tomate. Esparcirlo sobre las salchichas y cocerlas en la barbacoa, dándoles la vuelta a menudo durante unos 10 minutos, hasta que estén cocidas.
3 Entretanto, mezclar los ingredientes para la mayonesa de mostaza.
4 Retirar el envoltorio de las patatas y hacerles una hendidura en la mitad. Añadir la mayonesa de mostaza y las salchichas, como si fuera un perrito caliente. Acompañar con una ensalada abundante.

• Cada ración contiene: 750 kilocalorías, 19 g de proteínas, 56 g de hidratos de carbono, 50 g de grasas, 13 g de grasas saturadas, 4 g de fibra, 0 azúcar añadido, 3,94 g de sal.

Un tentempié clásico condimentado
con un toque de especias.

Tortilla de queso con chile

1 cebolla tierna
unas ramas de cilantro fresco
2 huevos
1 cucharada de aceite de girasol
1/2 o 1 cucharada de chile rojo fresco picado o un buen puñado de polvo de chile seco
25 g de queso cheddar rallado

10 minutos • 1 ración

1 Picar la cebolla y el cilantro muy finos y batir los huevos con un poco de sal y pimienta. Calentar el aceite en una sartén pequeña, agregar la cebolla, el cilantro y el chile y saltear durante un par de segundos hasta que se doren un poco. Añadir los huevos y remover hasta que dos terceras partes estén cuajadas.

2 Dar la vuelta a la tortilla, esparcir el queso y cocer durante un minuto hasta que la tortilla esté cuajada y el queso esté fundido.

3 Doblar cuidadosamente la tortilla con ayuda de una espátula y colocarla en el plato. Comer cuando la tortilla esté aún caliente y el queso fundido.

• Cada ración contiene: 381 kilocalorías, 22 g de proteínas, 0 hidratos de carbono, 33 g de grasas, 10 g de grasas saturadas, trazas de fibra, 0 azúcar añadido, 0,86 g de sal.

Si se utilizan gambas peladas congeladas en lugar de langostinos, en cada cucharada se podrá degustar una mezcla de los ingredientes.

Ensalada de gambas

2 tomates grandes
1 pimiento rojo
198 g de maíz en conserva o 175 g de maíz congelado
2 cucharadas de perejil o cilantro picado
1 cucharadita de salsa de tabasco
2 cucharadas de zumo de limón
2 cucharadas de aceite de oliva
300 g de gambas cocidas peladas
2 aguacates maduros
nachos para acompañar

10 minutos • 6 raciones

1 Partir los tomates y los pimientos por la mitad y quitarles las semillas. Cortarlos a trozos pequeños. Mezclar en un recipiente con los demás ingredientes, excepto los aguacates. Tapar con film adhesivo y conservar en el frigorífico hasta el momento de servir.
2 Para acabar el plato, pelar y trocear los aguacates y mezclarlos con el resto. Sazonar al gusto. Servir en copas acompañados de unos nachos.

• Cada ración contiene: 207 kilocalorías, 13 g de proteínas, 11 g de hidratos de carbono, 13 g de grasas, 2 g de grasas saturadas, 3 g de fibra, 2 g de azúcar añadido, 0,99 g de sal.

Estas deliciosas hamburguesas caseras se preparan mezclando carne magra picada con cuscús y condimentada con hierbas aromáticas y chile.

Hamburguesas ligeras con rúcula y pimientos

50 g de cuscús
500 g de carne picada de ternera sin grasa
1 cebolla pequeña, finamente picada
2 cucharaditas de hierbas aromáticas
3 cucharadas de cebollino fresco picado
1/4 de cucharadita de chile picante en polvo
6 rebanadas de pan de barra
6 cucharaditas de mostaza de Dijon
175 g de pimientos asados en conserva, cortados a trozos grandes (preferiblemente en sal, o bien en aceite y escurrirlos)
unas hojas de rúcula

25-35 minutos • 6 raciones

1 Colocar el cuscús en un recipiente mediano, agregar unos 75 ml de agua hirviendo y esperar unos minutos hasta que se hinche y absorba toda el agua. Añadir la carne picada, la cebolla, las hierbas aromáticas, el cebollino y el chile en polvo, y remover con abundante sal y pimienta. Mezclarlo bien y dar forma a 6 hamburguesas de tamaño un poco mayor que las rebanadas de pan.
2 Precalentar la parrilla o la barbacoa, cocer las hamburguesas durante 5-6 minutos por lado, o más si se prefieren muy hechas.
3 Tostar ligeramente las rebanadas de pan y untarlas con la mostaza. Colocar encima el pimiento, la hamburguesa y la rúcula, y servir.

• Cada ración contiene: 260 kilocalorías, 23 g de proteínas, 30 g de hidratos de carbono, 6 g de grasas, 2 g de grasas saturadas, 2 g de fibra, 0 azúcar añadido, 1,1 g sal.

Es fácil dar un toque de color y aroma a las patatas asadas cociéndolas previamente con un poco de cúrcuma.

Patatas asadas picantes

2,25 kg de patatas harinosas (preferiblemente de tipo Desirée o Monalisa)
1/2 cucharadita de cúrcuma
6 cucharadas de aceite de oliva o de girasol
1/2 cucharadita de páprika
sal marina

1 hora y 40 minutos-1 hora y 50 minutos • 10 raciones

1 Precalentar el horno a 190ºC/gas 5/convección 170ºC. Pelar las patatas y cortarlas a dados. Colocarlas en una cazuela llena de agua salada, espolvorear la cúrcuma y remover bien. Llevar de nuevo a ebullición, taparlas y cocer a fuego lento durante 4 minutos.
2 Echar el aceite en una bandeja metálica y colocarlo en el horno durante 5 minutos. Escurrir las patatas en un colador y sacudirlas para que queden rugosas.
3 Introducir cuidadosamente las patatas en el horno y rociarlas con el aceite utilizando un cucharón grande. Espolvorear con un poco de páprika y asarlas, sin darles la vuelta, durante 1 hora y 15 minutos hasta que estén doradas y crujientes. Espolvorear las patatas con sal marina y pimienta negra recién molida y servir.

• Cada ración contiene: 199 kilocalorías, 4 g de proteínas, 32 g de hidratos de carbono, 7 g de grasas, 1 g de grasas saturadas, 2 g de fibra, 0 azúcar añadido, 0,28 g de sal.

Como alternativa al aliño césar, mezclar dos cucharadas de mayonesa con media cucharadita de mostaza de Dijon y un buen chorro de zumo de limón.

Aguacate con atún y aliño de especias

200 g de atún en aceite
1 aguacate grande maduro
2-3 cucharadas de aliño césar para ensaladas
1 cucharadita de alcaparras
una pizca de páprika o pimienta de cayena
2 gajos de limón
dos puñados de nachos

10 minutos • 2 raciones

1 Poner el atún en un colador sobre un recipiente. Dejarlo durante unos minutos para que se escurra bien. Mientras tanto, partir el aguacate por la mitad y retirar el hueso.
2 Sazonar las mitades de aguacate con sal y pimienta, colocarlas en dos platos y rellenar el espacio del hueso con aliño césar. Colocar encima el atún, rociar generosamente con el resto del aliño y esparcir las alcaparras y el páprika o la pimienta de cayena. Servir con un gajo de limón para rociarlo con el jugo y acompañar con un buen puñado de nachos.

• Cada ración contiene: 357 kilocalorías, 22 g de proteínas, 9 g de hidratos de carbono, 26 g de grasas, 2 g de grasas saturadas, 3 g de fibra, 0 azúcar añadido, 1,3 g de sal.

Para convertir este simple tentempié en una delicia especial para dos se le pueden añadir setas exóticas y un chorrito de vino blanco o jerez.

Champiñones con mostaza Stroganoff

25 g de mantequilla de ajo y un poco más para untar
250 g de champiñones cortados a láminas finas
1 rebanadas finas de pan de semillas
1 cucharadita de mostaza en grano
5 cucharadas de nata líquida
cebollino fresco o tallos de cebollas tiernas

10 minutos • 2 raciones

1 Calentar un wok o una freidora. Poner la mantequilla y cuando se derrita incorporar los champiñones. Cocer a fuego fuerte, removiendo de vez en cuando, hasta que los champiñones estén tiernos y jugosos.
2 Mientras tanto, tostar el pan y untarlo con un poco de mantequilla. Colocarlo en dos platos.
3 Sazonar los champiñones con la mostaza, sal y pimienta, y agregar 4 cucharadas de nata líquida. Cuando esté todo bien mezclado, esparcir los champiñones y la salsa cremosa sobre la rebanada. Rociar con la nata líquida restante, los tallos de cebolla tierna o el cebollino picados y un poco de pimienta negra recién molida.

• Cada ración contiene: 322 kilocalorías, 8 g de proteínas, 21 g de hidratos de carbono, 24 g de grasas, 14 g de grasas saturadas, 3 g de fibra, 0 azúcar añadido, 1,08 g de sal.

Una sopa sencilla de preparar, aromática y baja en grasas, ideal para una comida ligera.

Pollo teriyaki con sopa de fideos

1,4 litros de caldo de verduras caliente
1 cucharadita de jengibre fresco rallado
2 cucharadas de salsa teriyaki o salsa de soja suave
1 cucharadita de *chinese five spice* en polvo
85 g de fideos finos de arroz o de huevo
300 g de vegetales salteados
85 g de champiñones, cortados por la mitad o a láminas
100 g de pollo asado sin piel cortado a tiras
1 cucharadita de semillas de sésamo
salsa de chile para acompañar

15-20 minutos •
4 raciones (pueden doblarse fácilmente)

1 Calentar el caldo vegetal en una cazuela. Añadir el jengibre y la salsa teriyaki o de soja y el condimento *chinese five spice* en polvo.
2 Incorporar los fideos y cocerlos durante 3-4 minutos, removiendo de vez en cuando para desenmarañarlos. Añadir las verduras salteadas y los champiñones, cocer durante un par de minutos y agregar finalmente el pollo asado. Cocer a fuego lento durante 2 minutos más.
3 Sazonar la sopa al gusto y servirla con la mayor rapidez. Verterla en cuatro cuencos y espolvorear con las semillas de sésamo. Llevar a la mesa la botella de salsa de chile para que cada comensal pueda dar a su sopa un sabor más picante si lo desea.

• Por ración (con fideos al huevo): 124 kilocalorías, 6 g de proteínas, 21 g de hidratos de carbono, 2 g de grasas, 0 grasas saturadas, 2 g de fibra, 0 azúcar añadido, 2,6 g sal.

Las pechugas de pollo sin piel, el yogur desnatado y una pizca de curry ayudan a crear una versión baja en grasas de esta receta clásica.

Pinchos de pollo tikka

150 de yogur natural desnatado
2 cucharadas de curry tikka masala
700 g de pechugas de pollo sin piel y deshuesadas, cortadas a dados
1/2 pepino troceado
2 tomates grandes troceados
1 chile verde, sin semillas y picado
1 cebolla pequeña finamente cortada
4 cucharadas de cilantro fresco rallado
8 tortillas de harina o pan chapatti

1 hora • 4 raciones

1 Mezclar el yogur con el curry en un bol. Incorporar el pollo y removerlo bien. Taparlo y dejar en adobo durante 30 minutos a temperatura ambiente para que absorba el gusto de las especias.

2 Para preparar la ensalada, mezclar el pepino, los tomates, el chile, la cebolla y el cilantro. Aliñar suavemente y taparla hasta el momento de servir.

3 Precalentar la parrilla o la barbacoa. Ensartar los trozos de pollo en 8 palillos de metal o de madera. Asar los pinchos durante 8-10 minutos, dándoles la vuelta a menudo. Al mismo tiempo, calentar las tortillas o el pan chapatti por un lado en la barbacoa y envolver con papel de aluminio. Servir dos pinchos por persona, con dos tortillas o chapatti y ensalada abundante.

• Cada ración contiene: 559 kilocalorías, 54 g de proteínas, 79 g de hidratos de carbono, 5,3 g de grasas, 1 g de grasas saturadas, 3,9 g de fibra, 0 azúcar añadido, 1,53 g de sal.

El chutney de frutas con un toque de chile combina perfectamente con un buen pedazo de queso cheddar y unas rebanadas de pan recién horneado.

Desayuno campesino dulce y picante

900 g de ciruelas deshuesadas y troceadas
1 cebolla troceada
un trozo de 5 cm de raíz de jengibre rallada o finamente troceada
225 ml de zumo de naranja
100 ml de vino tinto
140 g de uvas pasas
50 g de azúcar mascabado
1 rama de canela
1/2 cucharadita de chile en polvo
25 g de almendras, cortadas en 3 trozos
queso cheddar y pan recién horneado, para acompañar

1 hora-1 hora y 15 minutos • 900 g

1 Para preparar el chutney, colocar las ciruelas, la cebolla, el jengibre, el zumo de naranja, el vinagre, las uvas pasas, el azúcar, la rama de canela y el chile en una cazuela plana. Cuando arranque el hervor, cocer lentamente durante 30-40 minutos hasta que las ciruelas estén blandas, removiendo de vez en cuando al principio y más a menudo después. El chutney está listo cuando ha espesado un poco pero aún está algo líquido (se espesará más al enfriarse).

2 Añadir las almendras y cocerlas durante 5 minutos, removiendo. Introducirlas en botes esterilizados y dejar enfriar antes de cerrarlos herméticamente.

3 En el momento de servir, colocar un poco de chutney en el plato y acompañar con queso cheddar y unas rebanadas de pan tierno.

• Cada ración contiene: 33 kilocalorías, 0,4 g de proteínas, 7,1 g de hidratos de carbono, 0,5 g de grasas, 0 grasas saturadas, 0,6 g de fibra, 1,4 g de azúcar añadido, trazas de sal.

Esta sopa rápida y genuinamente oriental es sorprendentemente baja en grasas y muy saciante.

Sopa de maíz dulce y pollo chino

415 g de maíz dulce en conserva
1 pastilla de caldo de pollo
dos pizcas generosas de *chinese five spice* en polvo o de chiles picados (opcional)
1 cucharada de harina de maíz mezclada con 1 cucharada de agua fría para formar una pasta sin grumos
3 cebollas tiernas, cortadas a láminas
1 pechuga de pollo cocida (o 100 g de pollo asado), sin piel y cortada a tiras finas
1 huevo batido
aceite de sésamo (opcional) como aderezo

10 minutos • 2 raciones

1 Echar el maíz tierno en una cacerola grande a medio fuego. Añadir 500 ml de agua y el cubo de caldo y espolvorear las *chinese five spice* en polvo y los chiles, si se desea. Mezclarlo todo con una cucharada de madera y llevarlo a ebullición.
2 Cuando arranque el hervor, añadir la pasta de harina de maíz. Seguir removiendo hasta que la sopa espese y entonces añadir tres cuartas partes de la cebolla tierna, todo el pollo troceado y seguir cociendo a fuego más fuerte.
3 Cuando la sopa vuelva a hervir, apagar el fuego y añadir rápidamente el huevo batido, sin dejar de remover, hasta que el huevo forme hilos. Verter la sopa en los platos y decorar con el resto de cebolla tierna y unas gotas de aceite de sésamo, si se desea.

• Cada ración contiene: 428 kilocalorías, 24 g de proteínas, 70 g de hidratos de carbono, 8 g de grasas, 2 g de grasas saturadas, 2 g de fibra, 15 g de azúcar añadido, 5,45 g de sal.

Una nueva versión del cóctel de langostinos, con un aroma suave y fresco. Los langostinos crudos son más jugosos y aromáticos que los cocidos.

Cóctel picante de langostinos

350 g de langostinos crudos pelados, descongelados
1 diente de ajo pelado y finamente picado
1 chile rojo, sin semillas y finamente picado
5 cucharadas de aceite de oliva
2 tomates maduros
1 cucharada de zumo de limón
1 cucharada de miel
1 cucharada de cilantro picado
2 lechugas romanas
1 aguacate maduro, pelado y deshuesado
unas hojas de rúcula
focaccia italiana o pitta tostada, para acompañar

25-35 minutos • 6 raciones

1 Secar los langostinos con papel absorbente. Mezclar el ajo, el chile y las gambas. Calentar una cucharada de aceite en una cazuela, añadir los langostinos y saltearlos durante 2-3 minutos hasta que adquieran un tono rosado. Colocarlos en un recipiente y dejarlos enfriar; después refrigerar hasta un máximo de 8 horas.
2 Partir los tomates a cuartos y sacarles las semillas. Cortar finamente la pulpa y mezclar en un bol con el zumo de limón. Añadir el cilantro, salpimentar y batir hasta que quede una pasta. Tapar y conservar en el frigorífico hasta 8 horas.
3 Partir las hojas de lechuga romana en trozos pequeños. Cortar la pulpa del aguacate. Llenar seis copas con la lechuga romana, el aguacate y la rúcula. Colocar encima los langostinos y decorar con tomate y cilantro.

• Cada ración contiene: 176 kilocalorías, 10 g de proteínas, 2 g de hidratos de carbono, 14 g de grasas, 2 g de grasas saturadas, 1 g de fibra, 1 g de azúcar añadido, 0,25 g de sal.

En caso de no tener albahaca, se puede añadir un poco de pesto a esta sencilla y saludable alternativa a las alubias con tostadas.

Judías con beicon y albahaca

2 cucharadas de aceite de oliva
1 cebolla pequeña, troceada
2 lonchas de beicon
420 g de alubias blancas cocidas
2 tomates grandes, maduros, troceados
6 o más hojas de albahaca fresca
unas gotas de salsa de tabasco
pan tostado, como acompañamiento

10 minutos • 2 raciones

1 Calentar el aceite en una cazuela mediana. Freír la cebolla a fuego fuerte durante unos 5 minutos, removiendo de vez en cuando.
2 Mientras tanto, cortar el beicon en tiras de la mitad de la anchura de la loncha y cocer en una freidora hasta que esté crujiente y dorado.
3 Abrir y escurrir las alubias y añadirlas a la cazuela con el tomate. Remover y dejar cocer durante unos minutos hasta que los tomates estén cocidos. Triturar las hojas de albahaca y añadir a la cazuela junto con la sal, pimienta molida abundante y unas gotas de salsa de tabasco. Servir en los platos y añadir las tiras de beicon. Acompañar con pan ligeramente tostado.

• Cada ración contiene: 329 kilocalorías, 16 g de proteínas, 30 g de hidratos de carbono, 17 g de grasas, 3 g de grasas saturadas, 9 g de fibra, 0 azúcar añadido, 1,42 g de sal.

Los hongos secos dan el mismo sabor que la salsa de soja, pero al no llevar sal resultan mucho más saludables.

Sopa oriental de ternera y champiñones

25 g de hongos secos
1/2 pastilla de caldo de ternera
1 cucharada de aceite de girasol
1 filete de solomillo de ternera sin grasa de 140 g
1 chile rojo, sin semillas y finamente troceado
2 dientes de ajo picados
1 cucharadita de jengibre fresco rallado muy fino
100 g de ramilletes de brécol, partidos
2 cucharadas de jerez seco
100 g de fideos finos al huevo
100 g de germinados
25 g de berros troceados

20-30 minutos • 2 raciones

1 Trocear los hongos e introducirlos en un recipiente grande, añadir 1 litro de agua hirviendo y la pastilla de caldo. Reservar.

2 Calentar el aceite en una sartén antiadherente. Freír los filetes a fuego fuerte durante 2 minutos por lado. Colocarlos en una bandeja.

3 Añadir a la sartén el chile, el ajo y el jengibre junto con el brécol y saltear durante un minuto. Verter el jerez y remover para despegar los restos de la sartén. Agregar el caldo y los hongos, y cocer a fuego lento durante 4 minutos.

4 Echar agua hirviendo sobre los fideos en un recipiente grande. Esperar a que se ablanden. Añadir los germinados y los berros a la sopa. Cocer durante 2 minutos. Escurrir los fideos, repartirlos en dos cuencos y verter la sopa encima. Cortar la ternera a tiras finas y añadir sobre las verduras.

• Cada ración contiene: 488 kilocalorías, 30 g de proteínas, 48 g de hidratos de carbono, 15 g de grasas, 2 g de grasas saturadas, 2 g de fibra, 0 azúcar añadido, 2,26 g de sal.

Un salteado de carne de cerdo es una cena saludable y deliciosa para toda la familia, y está listo en pocos minutos.

Salteado de fideos y cerdo

2 cucharadas de aceite de girasol
300 g de brotes de brécol
125 g de fideos finos al huevo
450 g de carne de cerdo, cortada a tiras
6 cebollas tiernas en trozos de 5 cm
100 g de champiñones o shiitake
160 g de salsa cantonesa dulce y picante para salteados
300 g de germinados
un puñado de anacardos tostados con sal

10 minutos • 4 raciones

1 Poner una cazuela con agua a hervir a fuego fuerte. Calentar el aceite en un wok, añadir el brécol y saltearlo durante 2 minutos hasta que empiece a ablandarse.

2 Añadir los fideos al agua caliente y hervirlos durante 4 minutos. Mientras tanto, poner en el wok la carne de cerdo a tiras y freírla hasta que cambie de color. Añadir las cebollas y los champiñones y cocer durante un par de minutos o hasta que los champiñones estén al punto.

3 Añadir la salsa de modo que todo quede bien cubierto. Escurrir los fideos y echarlos en el wok junto con los germinados y los anacardos. Cocer hasta que los brotes estén un poco blandos, y servir.

• Cada ración contiene: 423 kilocalorías, 37 g de proteínas, 32 g de hidratos de carbono, 18 g de grasas, 2 g de grasas saturadas, 4 g de fibra, 0 azúcar añadido, 0,87 g de sal.

Este plato puede tomarse al día siguiente, con un par de cucharadas de mayonesa, como una ensalada de pasta veraniega.

Pasta con tomate al ajo

8 patatas nuevas pequeñas cortadas o una patata asada grande pelada y cortada a dados
200 g de tiburones de pasta
4 tomates medianos, cuanto más maduros mejor
3 cucharadas de aceite de oliva de buena calidad
1 diente de ajo grande, finamente troceado o picado
1 pizca de chile picado o de chile en polvo
queso rallado para servir

20-30 minutos •
2 raciones (pueden doblarse fácilmente)

1 Llenar una cazuela mediana con agua salada caliente y llevarla a ebullición. Introducir las patatas en el agua y dejarlas hervir durante 4 minutos. Añadir la pasta a la misma cazuela y dejar hervir durante 10 minutos o hasta que las patatas y la pasta estén blandas al pincharlas con un tenedor.

2 Mientras tanto, trocear los tomates como si se fuera a preparar una salsa. Recoger en un bol los tomates y su jugo. Salpimentar generosamente y mezclar con el aceite de oliva, el ajo y el chile. Remover bien.

3 Cuando la pasta y las patatas estén al punto echarlas en el bol con la salsa de tomate. Repartir la pasta en dos platos y servir con un poco de queso rallado por encima.

• Cada ración contiene: 617 kilocalorías, 16 g de proteínas, 102 g de hidratos de carbono, 19 g de grasas, 3 g de grasas saturadas, 6 g de fibra, 0 azúcar añadido, 0,1 g de sal.

Este plato de arroz queda delicioso con curry y dará un toque exótico al pescado o la carne a la parrilla.

Arroz aromático indio

2 cebollas cortadas
2 cucharadas de aceite de girasol
1 cucharada colmada de sal
1/2 cucharadita de cúrcuma
1 rama de canela
1 tazón de arroz de grano largo (unos 200 g)
6 granos de cardamomo picados
1 cucharadita de semillas de comino
un puñado grande de pasas sultanas
un puñado grande de anacardos tostados

15-20 minutos • 4 raciones

1 Freír la cebolla en una sartén grande durante 10-12 minutos hasta que esté dorada.
2 Mientras tanto, llenar una cazuela grande de agua, y cuando arranque el hervor añadir la sal, la cúrcuma y la rama de canela. Añadir el arroz, removerlo una vez y volver a llevar a ebullición. Cuando arranque de nuevo el hervor, bajar el fuego un poco de modo que el agua siga hirviendo, pero suavemente. Dejar hervir sin tapar ni remover durante 10 minutos hasta que esté tierno pero un poco crujiente. Escurrir el arroz y lavarlo con agua caliente. Dejar que se escurra bien.
3 Añadir los granos de cardamomo a las cebollas junto con las semillas de comino y freír unos instantes. Añadir las sultanas y los anacardos y a continuación el arroz escurrido. Servir inmediatamente.

• Cada ración contiene: 317 kilocalorías, 5,6 g de proteínas, 55,7 g de hidratos de carbono, 9,5 g de grasas, 1,1 g de grasas saturadas, 1,2 g de fibra, 0 azúcar añadido, 0,77 g de sal.

Un plato suave y sofisticado que resulta ideal si se tienen invitados entre semana.

Tallarines con langostinos y chile

280 g de tallarines
200 g de guisantes
1 cucharada de aceite de oliva
2 dientes de ajo finamente picados
1 chile rojo grande, sin semillas y finamente picado
24 gambas peladas
12 tomates cherry partidos por la mitad
unas hojas de albahaca fresca
ensalada variada y pan crujiente para acompañar

PARA EL ALIÑO
2 cucharadas de queso fresco bajo en grasas
corteza de lima rallada
el zumo de 2 limas
2 cucharaditas de azúcar lustre

25-35 minutos • 6 raciones

1 Mezclar los ingredientes del aliño en un recipiente pequeño y sazonar con sal y pimienta. Reservar.
2 Cocer la pasta siguiendo las instrucciones del fabricante. Añadir los guisantes verdes en el último minuto o cuando sea preciso para que se cuezan.
3 Mientras tanto calentar el aceite en un wok o una freidora, añadir el ajo y el chile y saltear a fuego fuerte durante unos 30 segundos. Añadir las gambas y freírlas a fuego fuerte, removiendo con frecuencia, durante 3 minutos, hasta que estén rosadas. Añadir los tomates y cocer, removiendo de vez en cuando, durante 3 minutos, hasta que empiecen a ablandarse. Escurrir la pasta y los guisantes y añadir a la mezcla de las gambas. Espolvorear con las hojas de albahaca y salpimentar.
4 Servir con una ensalada aderezada con el aliño de lima y pan blanco crujiente.

• Cada ración contiene: 333 kilocalorías, 32 g de proteínas, 42 g de hidratos de carbono, 5 g de grasas, 1 g de grasas saturadas, 3 g de fibra, 2 g de azúcar añadido, 0,9 g sal.

Una buena forma de animar un arroz
para una deliciosa cena china.

Arroz oriental con huevo frito

1 cucharadita colmada de sal
1 tazón de arroz de grano largo (aproximadamente 200 g)
1 taza de guisantes congelados
2 cucharadas de aceite de girasol
2 lonchas de beicon, a trozos
1 pimiento rojo pequeño, troceado
2 dientes de ajo, a láminas finas
2 huevos
1 cucharadita colmada de *chinese five spice* en polvo
cebolla tierna cortada a tiras

15-20 minutos • 4 raciones

1 Llenar una cazuela grande de agua, y cuando arranque el hervor añadir la sal y el arroz, remover una vez y volver a llevar a ebullición. Cuando arranque de nuevo el hervor, bajar el fuego un poco de modo que el agua siga hirviendo, pero suavemente. Dejar hervir durante 8 minutos.
2 Añadir los guisantes y hervir durante 2 minutos más hasta que el arroz esté tierno pero un poco crujiente. Escurrir el arroz y los guisantes.
3 Calentar el aceite en un wok y saltear el bacon durante 3-4 minutos hasta que esté crujiente. Añadir el pimiento y el ajo y sofreír durante 2 minutos.
4 Batir los huevos, añadirlos a la sartén y remover hasta que empiecen a cuajar. Añadir las especias chinas y el arroz con los guisantes. Decorar con las tiras de cebolla tierna y servir.

• Cada ración contiene: 350 kilocalorías, 12,7 g de proteínas, 50,5 g de hidratos de carbono, 12,1 g de grasas, 2,6 g de grasas saturadas, 3,2 g de fibra, 0 azúcar añadido, 1,37 g de sal.

Para preparar esta sencilla receta baja en grasas el número de utensilios y de ingredientes se reduce al mínimo.

Pasta picante con atún y limón

350 g de pasta para ensalada
200 g de judías finas cortadas a trozos pequeños
200 g de atún en aceite
la corteza rallada de 1 limón
1 cucharada colmada de alcaparras
una pizca abundante de chile en polvo
aceite de oliva para aliñar

15-20 minutos • 4 raciones

1 Hervir la pasta en agua caliente durante 8 minutos. Añadir las judías y cocer durante 3 minutos más, hasta que tanto la pasta como las judías estén tiernas. Mientras tanto, verter el atún y su aceite en un recipiente y desmigarlo de modo que queden trozos bastante grandes. Añadir la ralladura de limón, las alcaparras, el chile y salpimentar abundantemente.

2 Escurrir la pasta y las judías, y añadirlas a la mezcla de atún. Añadir un poco de aceite de oliva para que no quede seco. Servir el atún y la pasta como plato único o acompañado de una ensalada de tomate y cebolla.

• Cada ración contiene: 401 kilocalorías, 23 g de proteínas, 68 g de hidratos de carbono, 6 g de grasas, 1 g de grasas saturadas, 4 g de fibra, 0 azúcar añadido, 0,4 g de sal.

Las albóndigas son ideales para toda la familia. Se pueden encontrar en la sección de refrigerados del supermercado.

Albóndigas a la mostaza con espaguetis

350 g de espaguetis secos
1 cucharada de aceite de oliva
350 g de albóndigas suecas
1 cucharada de miel
2 cucharadas de mostaza en grano
300 ml de caldo de pollo o de verduras (puede ser una pastilla)
3 cucharadas de nata líquida
4 cebollas cortadas a láminas

15-25 minutos • 4 raciones

1 Cocer los espaguetis siguiendo las instrucciones del fabricante. Mientras tanto, calentar el aceite en una sartén grande, añadir las albóndigas y freírlas durante unos 5 minutos, removiendo, hasta que tomen color.

2 Añadir la miel, la mostaza y el caldo. Cuando arranque el hervor, bajar el fuego y cocer durante 5 minutos. Añadir la nata fresca y las cebollas tiernas y dejarlas cocer unos instantes simplemente para calentarlas.

3 Escurrir los espaguetis, añadir las albóndigas y la salsa y servir.

• Cada ración contiene: 628 kilocalorías, 26 g de proteínas, 75 g de hidratos de carbono, 27 g de grasas, 11 g de grasas saturadas, 5 g de fibra, 3 g de azúcar añadido, 1,93 g de sal.

Una ensalada suave y saludable, inspirada en la cocina thai, con un sabor sorprendente y de muy fácil preparación.

Ensalada de gambas y fideos

200 g de judías verdes
125 g de fideos planos de arroz
100 g de maíz congelado
200 g de gambas cocidas y peladas, descongeladas si es necesario
1/2 manojo de cebollas tiernas cortadas en diagonal
1 cucharada de salsa de chile suave, y un poco más para aliñar
el zumo de una lima
1 cucharada de salsa de pescado (nam pla)
un puñado de cilantro fresco, cortado

15-25 minutos • 3-4 raciones

1 Partir las judías por la mitad y hervirlas en una olla de agua con sal durante 2 minutos. Escurrirlas y enfriarlas bajo un chorro de agua fría. Secarlas con papel de cocina.
2 Colocar los fideos y el maíz en un recipiente grande, cubrirlo con agua hirviendo y dejarlo durante exactamente 4 minutos. Escurrir y enfriar bajo el agua fría. Sacudir al máximo el agua de los fideos y cortarlos en pedazos pequeños.
3 Introducir los fideos y el maíz en un recipiente grande, añadir las judías, las gambas y las cebollas tiernas, y mezclarlo bien con las manos.
4 Remover junto con la salsa de chile, el zumo de lima y la salsa de pescado. Salpimentar ligeramente. Colocar la mezcla sobre la ensalada y remover. Espolvorear el cilantro y servir con un poco de salsa de chile para acabar de aderezar.

• Cada ración contiene: 144 kilocalorías, 14 g de proteínas, 20 g de hidratos de carbono, 1 g de grasas, 0 grasas saturadas, 2 g de fibra, 1 g de azúcar añadido, 1,69 g de sal.

Un truco: utilizar una lata de tomate como vaso medidor hará que la elaboración de este saludable y completo plato sea aún más sencilla.

Jambalaya fácil y rápido

1 lata de 400 g de tomate troceado con ajo
1 medida de la lata de arroz rápido (véase el paso 1)
1 pimiento rojo, sin semillas y troceado
2 chorizos de unos 200 g, sin piel y troceados
dos puñados de granos de maíz congelado o una lata de 200 g escurrida
una pizca generosa de sazonador cajún

PARA ACOMPAÑAR
un puñado de perejil picado (opcional)
1 tubo de 240 ml de nata

30-35 minutos • 4 raciones (generosas)

1 Introducir los tomates en un recipiente grande apto para microondas. Llenar la lata vacía con arroz y añadirlo al recipiente. Llenar la lata de agua y verterla en el recipiente. Añadir el pimiento, el chorizo, el maíz, el sazonador cajún y un poco de sal y pimienta.
2 Tapar el recipiente con film adhesivo y hacer un par de agujeros con un cuchillo. Cocer el arroz en el microondas durante 10 minutos a la potencia máxima. Retirar el film adhesivo y remover bien. Volver a introducir el recipiente en el microondas durante 12-15 minutos más, hasta que el arroz esté cocido.
3 Sacar el recipiente del microondas, taparlo con un plato y dejarlo reposar durante 5 minutos antes de añadirle el perejil. Servir el jambalaya en el recipiente, con la nata para aderezar.

• Cada ración contiene: 537 kilocalorías, 18 g de proteínas, 87 g de hidratos de carbono, 16 g de grasas, 5 g de grasas saturadas, 2 g de fibra, 0 azúcar añadido, 0,94 g de sal.

Una forma sabrosa y saludable de aprovechar las sobras del asado del domingo.

Arroz de lunes

2 cucharadas de aceite vegetal
1 huevo batido con 2 cucharadas de agua
1 cebolla troceada
2 dientes de ajo picados
1 cucharada colmada de curry en polvo
2 cucharadas de ketchup
85 g de guisantes congelados
250 g de arroz cocido frío o 250 g de arroz precocinado
175 g de pollo o cerdo asado, cortado a tiras
un buen chorro de salsa de soja

30 minutos • 2-2 raciones

1 Calentar la mitad del aceite en una sartén antiadherente a fuego fuerte. Añadir el huevo batido y dejarlo cocer durante 1 minuto. Darle la vuelta y dejarlo cocer 1 minuto por la otra cara. Retirar la tortilla del fuego y reservar.
2 Calentar el resto del aceite en una sartén y freír la cebolla hasta que esté dorada. Añadir el ajo, el curry en polvo y el ketchup. Añadir los guisantes y cocer durante 2 minutos. Añadir el arroz con la carne cortada a tiras y 100 ml de agua. Cocer a fuego medio durante 6 minutos, removiendo de vez en cuando hasta que esté cocido.
3 Mientras tanto, enrollar la tortilla y cortarla a tiras. Añadirla junto con la salsa de soja a la mezcla de arroz con curry. Servir acompañado con más salsa de soja.

• Cada ración contiene (3 porciones): 349 kilocalorías, 25 g de proteínas, 35 g de hidratos de carbono, 13 g de grasas, 2 g de grasas saturadas, 4 g fibra, 2 g de azúcar añadido, 0,84 g de sal.

El aceite de oliva al limón es un buen fichaje para la despensa. Puede utilizarse para aliños, salsas y para sazonar la carne o el pescado.

Espaguetis con chile, cangrejo y limón

350 g de espaguetis o tallarines
1 diente de ajo pelado
1/2-1 chile rojo fresco
20 g de hojas de perejil
170 g de carne de cangrejo
2 cucharadas de aceite de oliva al limón
1/2 copa de vino blanco

15-20 minutos • 4 raciones

1 Poner a hervir una olla grande con agua salada, añadir los espaguetis y cocer siguiendo las instrucciones del envase, removiendo un par de veces para que no se peguen.
2 Picar el ajo. Partir el chile, quitarle las semillas y picarlo. Cortar el perejil. Escurrir la carne de cangrejo con ayuda de un colador.
3 Calentar 2 cucharadas de aceite en una sartén grande, añadir el ajo y el chile y sofreír durante 1 minuto. Añadir el cangrejo a la sartén, junto con el vino, sazonar con sal y pimienta y cocer durante un par de minutos, sin dejar de remover.
4 Escurrir la pasta, devolverla a la cazuela y añadir la mezcla del cangrejo, la última cucharada de aceite y el perejil. Mezclarlo todo bien y servir.

• Cada ración contiene: 401 kilocalorías, 14,2 g de proteínas, 65,3 g de hidratos de carbono, 10 g de grasas, 1,4 g de grasas saturadas, 2,8 g de fibra, 0 azúcar añadido, 0,27 g.

Este completo plato no necesita acompañamiento, y los fideos preparados ayudan a ahorrar tiempo en su elaboración.

Fideos con verduras de primavera

2 cucharadas de aceite de oliva
2 lonchas de beicon
100 g de espárragos trigueros cortados a trozos
100 g de brécol cortado a trozos
2 dientes de ajo a láminas
6 cebollas tiernas, partidas en cuatro trozos a lo largo
1/2 cucharadita de *chinese five spice*
150 g de fideos listos para cocinar
50 g de guisantes pequeños congelados
salsa de soja para servir

20-25 minutos • 2 raciones

1 Calentar el aceite en un wok. Con las tijeras, trocear el beicon y freírlo en aceite caliente durante un par de minutos.
2 Colocar los espárragos trigueros y el brécol junto con el ajo, las cebollas tiernas y las *chinese five spice*. Sofreír durante un minuto y añadir los fideos, los guisantes y una cucharada de agua. Tapar la cazuela y dejarlo cocer todo durante 4 minutos, hasta que el brécol este tierno.
3 Mezclarlo todo junto y servir directamente. Llevar una botella de salsa de soja a la mesa para que cada persona pueda aderezarse el plato a su gusto.

• Cada ración contiene: 339 kilocalorías, 15 g de proteínas, 27 g de hidratos de carbono, 20 g de grasas, 4 g de grasas saturadas, 5 g de fibra, 0 azúcar añadido, 2,21 g de sal.

Para ahorrar tiempo, hervir la mitad del agua por separado.

Espaguetis con chile, limón y aceitunas

500 g de espaguetis frescos o secos
5 cucharadas de aceite de oliva
50 g de piñones
5 dientes de ajo grandes, pelados
1 cucharadita colmada de chile seco en polvo
2 limones
una pizca de hojas de perejil, troceadas
100 g de aceitunas verdes, si se prefiere troceadas
5 cucharadas de queso parmesano recién rallado, y un poco más para servir

10 minutos • 4 raciones

1 Poner a hervir una cazuela grande con agua para la pasta. Mientras tanto, colocar el aceite y los piñones en una sartén a fuego bajo. Picar el ajo en la sartén y espolvorear el chile. Seguir calentando hasta que los piñones estén ligeramente tostados (asegurándose de que el ajo no se queme).

2 Rallar la piel de los dos limones, partir uno por la mitad y exprimirlo. Cuando el agua para la pasta esté hirviendo, añadir una cantidad generosa de sal y los espaguetis y cocer siguiendo las instrucciones del envase.

3 Escurrir los espaguetis y ponerlos en una fuente para servir. Aderezar con el aceite de ajo y con el zumo y la ralladura de limón, el perejil, las aceitunas y el parmesano. Añadir más jugo de limón al gusto y servir acompañado con más queso parmesano.

• Cada ración contiene: 573 kilocalorías, 19 g de proteínas, 59 g de hidratos de carbono, 31 g de grasas, 6 g de grasas saturadas, 5 g de fibra, 0 azúcar añadido, 1,7 g de sal.

Los fideos precocinados se presentan en bolsitas individuales. Bastará con calentarlos.

Pollo asiático en hatillo

5 filetes de pechuga de pollo deshuesada, unos 450 g en total
350 g de verduras preparadas para saltear (de la sección de refrigerados)
4 bolsitas de 150 g de fideos precocidos
100 ml de salsa para saltear, como por ejemplo salsa agridulce o tailandesa
salsa de soja para aderezar

30 minutos • 4 raciones

1 Cortar varios trozos cuadrados de papel para horno, de unos 35 cm. Cortar el pollo a tiras.
2 Mezclar las verduras, el pollo, los fideos y la salsa en un recipiente grande.
3 Colocar una cuarta parte de la mezcla en el centro de cada trozo de papel. Formar un paquete llevando los dos extremos del papel hacia el centro y doblando los otros dos extremos hacia abajo. Repetir la operación con los papeles restantes y colocarlos en el frigorífico (puede hacerse el día anterior).
4 Cocer los paquetes en el microondas, de uno en uno, a la máxima potencia durante 5-6 minutos. Servir con salsa de soja para aliñar.

• Cada ración contiene: 383 kilocalorías, 37 g de proteínas, 50 g de hidratos de carbono, 5 g de grasas, 1 g de grasas saturadas, 4 g de fibra, 1 g de azúcar añadido, 2,44 g de sal.

Una variante del arroz con huevo,
con un toque aromático picante.

Arroz picante con langostinos

200 g de arroz de grano largo
175 g de guisantes congelados
2 cucharadas de aceite de oliva, y un poco más de aceite
1 cebolla cortada
3 lonchas de beicon cortadas
1 cucharada de pasta de curry tikka masala
250 g de langostinos cocidos pelados, descongelados si es preciso
1 huevo batido
salsa de soja, para aderezar

20-25 minutos • 4 raciones

1 Verter el arroz en una cazuela con agua hirviendo con sal y cocer durante 10 minutos, añadiendo los guisantes en los últimos 3 minutos. Escurrir bien.
2 Mientras tanto, calentar dos cucharadas de aceite en una sartén o un wok grande. Añadir la cebolla y el beicon y saltear durante 3-4 minutos, hasta que la cebolla empiece a dorarse y el beicon esté un poco cocido. Añadir el curry y dejar cocer durante unos segundos. Añadir los langostinos y mantener en el fuego durante un minuto.
3 Colocar la mezcla de los langostinos en una mitad de la sartén y añadir un chorro de aceite en la otra mitad. Echar el huevo batido y remover hasta que tenga la apariencia de un revoltillo. A continuación, mezclar con las gambas. Añadir el arroz y los guisantes y mezclarlo todo. Servir con un poco de salsa de soja para aderezar.

• Cada ración contiene: 411 kilocalorías, 25 g de proteínas, 50 g de hidratos de carbono, 14 g de grasas, 3 g de grasas saturadas, 3 g de fibra, 0 azúcar añadido, 1,63 g de sal.

Un plato rápido, delicioso y saciante.
Basta con mezclarlo todo y servir.

Espaguetis con chorizo picante

80 g de rodajas de chorizo
un buen puñado de hojas de perejil
2 pimientos rojos en conserva, en sal o en aceite
300 g de espaguetis frescos
2 cucharadas de aceite de oliva
50 g de queso parmesano recién rallado, y un poco más para servir

10 minutos • 4 raciones

1 Llevar a ebullición una cazuela con agua. Mientras tanto, cortar el chorizo a tiras con las tijeras, y trocear las hojas de perejil y los pimientos.

2 Cuando el agua hierva a borbotones, echar los espaguetis con un puñado de sal, remover y dejar que vuelva a hervir. Cocer durante 3 minutos.

3 Calentar el aceite en una sartén grande, añadir el chorizo y los pimientos y pimienta negra en abundancia. Dejar cocer durante un minuto aproximadamente, hasta que el aceite tome el color rojizo del chorizo. Reservar un tazón de agua de la pasta, escurrir el resto y echar los espaguetis a la sartén.

4 Añadir el perejil y el parmesano, remover bien y verter el agua de la pasta. Llevar a la mesa más queso parmesano para añadirlo al gusto.

• Cada ración contiene: 444 kilocalorías, 18 g de proteínas, 46 g de hidratos de carbono, 22 g de grasas, 6 g de grasas saturadas, 3 g de fibra, 0 azúcar añadido, 2,21 g sal.

Un pollo al estilo marroquí preparado en un santiamén, utilizando conservas con trozos grandes de fruta.

Pollo con albaricoque dulce y picante

1 cucharada de aceite de oliva
400 g de filetes de pechuga de pollo
1 cucharadita de comino y de cilantro, respectivamente
220 g de cuscús con limón y cilantro
300 ml de caldo de pollo (puede ser de pastilla)
2 cucharadas de albaricoques en conserva
100 g de judías verdes congeladas
14 aceitunas kalamata
una pizca de cilantro fresco

20 minutos • 2 raciones (generosas)

1 Calentar el aceite en una sartén antiadherente. Formar una capa con los trozos de pollo y espolvorear con el comino y el cilantro. Cocer sin remover durante un minuto. Dar la vuelta al pollo y cocer durante otro minuto.
2 Mientras tanto, colocar el cuscús en una cazuela y añadir 400 ml de agua hirviendo. Llevar a ebullición y cocer durante un minuto. Retirarlo del fuego, taparlo y dejar en remojo durante 5 minutos.
3 Entretanto, añadir el caldo al pollo junto con la conserva de albaricoque, las judías verdes y las aceitunas. Sazonar y cocer a fuego lento durante 5 minutos.
4 Remover el cuscús con un tenedor y servirlo en cuencos. Colocar el pollo sobre el cuscús y espolvorear con cilantro fresco.

• Cada ración contiene: 514 kilocalorías, 56 g de proteínas, 38 g de hidratos de carbono, 16 g de grasas, 3 g de grasas saturadas, 3 g de fibra, 8 g de azúcar añadido, 5,24 g de sal.

Una cena abundante a base de tiras de hígado con patatas crujientes, beicon y cebollas tiernas, ideal para los que necesitan reponer energías.

Salteado picante de hígado y beicon

2 cucharadas de aceite de oliva
300 g de patatas nuevas cocidas, partidas por la mitad
4 cebollas tiernas, cortadas en diagonal en 2-3 trozos
4 lonchas de beicon, cortadas cada una en cuatro trozos
1 cucharada de harina
1 cucharadita de páprika, y un poco más para espolvorear
175 g de hígado de cordero, cortado a tiras
1 puñado de hojas de perejil troceadas
150 ml de caldo vegetal (de pastilla)
4 cucharadas de nata líquida

20 minutos • 2 raciones

1 Calentar el aceite en una sartén. Añadir las patatas y freír a fuego fuerte hasta que estén doradas. Retirarlas del fuego con una espumadera y reservarlas.

2 Añadir las cebollas tiernas y el beicon a la sartén y freír hasta que estén dorados. Mientras tanto, mezclar la harina con la páprika y añadir sal y pimienta. Enharinar los trozos de hígado.

3 Saltear el hígado en la sartén durante 2-3 minutos. Devolver las patatas a la sartén con el perejil y dejar cocer. Repartir el hígado en dos platos y mantenerlo caliente.

4 Añadir el caldo a la sartén y llevarlo rápidamente a ebullición. Remover para disolver bien el jugo y rascar el fondo de la sartén. Verterlo por encima del hígado y las patatas. Servir con un poco de nata líquida por encima y un toque extra de páprika.

• Cada ración contiene: 570 kilocalorías, 32 g de proteínas, 41 g de hidratos de carbono, 32 g de grasas, 10 g de grasas saturadas, 3 g de fibra, 0 azúcar añadido, 2,5 g de sal.

Los tallos de pak shoi son crujientes y jugosos, mientras que las hojas son tiernas y tienen un suave aroma de mostaza.

Pollo con anacardos y salsa hoisin

1 pimiento rojo, sin semillas y troceado
2 pechugas de pollo deshuesadas sin piel a trozos del mismo tamaño que los de pimiento
1 cebolla pequeña, a trozos grandes
5 cucharadas de salsa hoisin
2 cabezas de pak shoi, cortadas longitudinalmente
un puñado de anacardos salados
arroz o fideos para acompañar

20-25 minutos • 2 raciones (generosas)

1 Mezclar todos los ingredientes, excepto el pak shoi y los anacardos, en un recipiente grande, añadir 3 cucharadas de agua y remover hasta que todo quede cubierto con la salsa. Verter en un recipiente apto para el microondas, recogiendo hasta la última gota de salsa.
2 Cubrir el recipiente con film adhesivo y pincharlo varias veces para dejar salir el vapor. Cocer en el microondas a máxima potencia durante 2 minutos.
3 Retirar cuidadosamente el film adhesivo, añadir el pak shoi y remover bien. Tapar de nuevo con film adhesivo, agujerearlo e introducirlo en el microondas durante 7 minutos más. Destapar, con cuidado de no quemarse con el vapor, y añadir los anacardos. Servir directamente, con arroz o fideos.

• Cada ración contiene: 334 kilocalorías, 39 g de proteínas, 25 g de hidratos de carbono, 9 g de grasas, 1 g de grasas saturadas, 3 g de fibra, 12 g de azúcar añadido, 1,76 g de sal.

El arroz mexicano es una mezcla de arroz cocido con especias y frijoles que solo hay que calentar. Puede encontrarse en los supermercados.

Cocido mexicano

2 cucharadas de aceite de girasol o vegetal
1 cebolla cortada
450 g de carne picada de pollo o pavo
400 g de tomate troceado en conserva
3 cucharadas de puré de tomate
arroz mexicano
un puñado de perejil fresco, troceado
nachos para acompañar

35-45 minutos •
4 raciones (pueden repartirse fácilmente)

1 Calentar el aceite en una sartén mediana y freír la cebolla hasta que esté dorada (4-5 minutos) removiendo de vez en cuando. Añadir la carne picada y dejar cocer hasta que pierda el color rosado, removiendo para desmenuzarla bien y para evitar que se pegue. Si lo hace, agregar un poco más de aceite.

2 Incorporar los tomates a la carne y verter 400 ml de agua en la sartén. Añadir el puré de tomate, remover bien y dejar que hierva. Dejar cocer a fuego lento, tapado, durante 25 minutos, para que la carne quede bien hecha.

3 Agregar el arroz para que se caliente y espolvorear con el perejil. Servir acompañado con los nachos.

• Cada ración contiene: 489 kilocalorías, 30 g de proteínas, 46 g de hidratos de carbono, 22 g de grasas, 5 g de grasas saturadas, 3 g de fibra, 1 g de azúcar añadido, 1,1 g de sal.

pure
apple
juice

Si se desea hacer una comida al aire libre este pollo picante puede prepararse en la barbacoa en vez de en la parrilla.

Fuente de pollo crujiente

4 pechugas de pollo sin piel, en total unos 500 g
1 cucharadita de pasta de chile picante o de salsa harissa
3 cucharadas de aceite de oliva
1 cucharada de zumo de limón
1-2 lechugas, según el tamaño, romanas, batavia o trocadero
1/3 de pepino
1/2 manojo de rábanos
25 g de piñones tostados
un puñado de hojas de menta

PARA EL ALIÑO
2 tomates maduros, sin semillas y a dados
1/2-1 cucharadita de pasta de chile picante o de salsa harissa
1 cucharada de zumo de limón
4 cucharadas de aceite de oliva

40-50 minutos • 4 raciones

1 Extender el pollo en una fuente llana. Batir en un cuenco pequeño el chile o la harissa con el aceite, el zumo de limón y una pizca de sal. Verterlo sobre el pollo.
2 Para preparar el aliño, mezclar en un bol los tomates, el chile, el zumo de limón, el aceite y una pizca de sal. Reservar.
3 Calentar la plancha y cocer el pollo durante 6-8 minutos por lado hasta que esté bien cocido. Retirar del fuego y tapar con papel de aluminio.
4 Repartir las hojas de lechuga en una fuente. Cortar el pepino y los rábanos a láminas y esparcirlos sobre la lechuga. Cortar el pollo a tiras y mezclarlo con la mitad del aliño en un cuenco. Añadirlo a la lechuga junto con los piñones y las hojas de menta. Verter el resto del aliño y servir templado.

• Cada ración contiene: 377 kilocalorías, 32,2 g de proteínas, 4 g de hidratos de carbono, 26 g de grasas, 3,7 g de grasas saturadas, 1,5 g de fibra, 0 azúcar añadido, 0,23 g de sal.

Cocinar para los amigos puede ser un gran placer con esta sencilla receta de cordero al curry.

Curry picante de cordero

1 trozo de 4 cm de jengibre troceado
2 cebollas picadas
6 dientes de ajo
2 chiles rojos grandes, sin semillas
1 ramo de cilantro
2 cucharadas de semillas de hinojo
2 cucharadas de cilantro en polvo
2 cucharadas de comino en polvo
1,6 kg de cordero a trozos
2 cucharadas de aceite de oliva
800 g de tomate troceado en conserva
2 cucharadas de puré de tomate
300 ml de caldo de cordero
200 g de guisantes congelados
un puñado de menta fresca

2 horas y quince minutos • 8 raciones

1 Introducir el jengibre, las cebollas, el ajo, los chiles y dos terceras partes del cilantro fresco en un robot de cocina y triturar.
2 Mezclar el hinojo, el cilantro y el comino con el cordero. Calentar el aceite en una cazuela e ir friendo el cordero por partes hasta que esté dorado. Devolver toda la carne a la cazuela, agregar la mezcla del robot de cocina y dejar cocer durante 8-10 minutos, removiendo.
3 Incorporar los tomates troceados, el puré de tomate y el caldo. Cuando hierva, taparlo y dejar cocer a fuego lento durante 1 hora y media.
4 Añadir los guisantes, llevar de nuevo a ebullición y cocer durante 4 minutos. Sazonar al gusto. Trocear el resto de cilantro junto con la menta y espolvorear el guiso. Servir acompañado con pan indio naan.

• Cada ración contiene: 481 kilocalorías, 43 g de proteínas, 12 g de hidratos de carbono, 29 g de grasas, 13 g de grasas saturadas, 3 g de fibra, 0 azúcar añadido, 0,68 g de sal.

Organizar una cena en casa con los amigos puede resultar más sencillo si se puede dejar todo listo antes de que lleguen los invitados.

Pollo sureño picante

6 pechugas de pollo deshuesadas sin piel
450 g de patatas nuevas pequeñas
500 g de calabaza
2 cucharadas de aceite de oliva
25 g de mantequilla
2 cebollas grandes, a láminas finas
2 chiles rojos grandes, sin semillas y finamente troceados
3 dientes de ajo picados
2 cucharadas de harina
400 g de tomate troceado en conserva
2 cucharadas de puré de tomate
860 ml de caldo vegetal
2 mazorcas de maíz tierno
175 g de tomates cherry
2 cucharadas de menta fresca y de cilantro, respectivamente, más un poco de cilantro para decorar
pan de ajo para acompañar

1 hora y 5 minutos-1 hora y 20 minutos • 6 raciones

1 Cortar cada pechuga de pollo en tres trozos. Partir las patatas grandes. Pelar la calabaza y trocearla. Calentar el aceite y la mantequilla en una sartén grande e ir cociendo el pollo por partes durante 3-4 minutos hasta que esté dorado. Retirar el pollo de la sartén. Freír las cebollas, los chiles y el ajo durante unos 5 minutos. Agregar la harina y remover bien. Añadir el tomate troceado, el puré de tomate y el caldo. Devolver el pollo a la sartén junto con las patatas y la calabaza. Cuando hierva, tapar y dejar cocer a fuego lento durante 20 minutos.
2 Con un cuchillo afilado, retirar los granos de maíz de las mazorcas. Añadirlos al pollo junto con los tomates cherry. Dejar cocer a fuego lento durante 5 minutos. Agregar las hierbas, salpimentar y decorar con el cilantro.

• Cada ración contiene: 383 kilocalorías, 42 g de proteínas, 34 g de hidratos de carbono, 10 g de grasas, 3 g de grasas saturadas, 4 g de fibra, 0 azúcar añadido, 1,24 g de sal.

La combinación del hígado con una mezcla vistosa de verduras convierte a este plato en una nutritiva explosión de aromas.

Salteado de hígado con pimientos rojos

1 1/2 cucharada de aceite de cacahuete
225 g de hígado de cordero cortado a tiras
1 puerro cortado a rodajas
1 pimiento rojo, sin semillas, cortado a dados
1 chile rojo, sin semillas, picado muy fino
1 cucharadita de orégano seco
1 diente de ajo picado
100 g de verduras de primavera
la ralladura de 1 naranja y 2 cucharadas de zumo
2 cucharadas de jerez seco

25-35 minutos • 2 raciones

1 Calentar una cucharada de aceite en la sartén antiadherente. Añadir el hígado y freírlo a fuego moderadamente fuerte durante 3 minutos, hasta que cambie de color (no debe cocerse más porque quedaría gomoso). Retirar el hígado dejando los jugos en la sartén.

2 Echar el puerro, el pimiento rojo y el chile en la sartén junto con el resto del aceite y sofreír a fuego fuerte durante 2 minutos. Agregar el orégano, el ajo y las verduras y saltear durante 30 minutos a más, hasta que las verduras hayan tomado un color brillante.

3 Volver a poner el hígado en la sartén, incorporar el zumo de naranja y el jerez. Salpimentar. Mezclar bien todos los ingredientes a fuego fuerte y servir inmediatamente.

• Cada ración contiene: 287 kilocalorías, 27 g de proteínas, 11 g de hidratos de carbono, 14 g de grasas, 3 g de grasas saturadas, 4 g de fibra, 0 azúcar añadido, 0,26 g de sal.

Un guiso saludable que puede prepararse con antelación y congelarse para tener a punto una cena para invitados entre semana.

Guiso de pollo picante

3 cucharadas de aceite de oliva
2 cebollas, a láminas
6 muslos de pollo sin piel
1 cucharada de harina, con un poco de sal y pimienta
300 ml de caldo de pollo
la ralladura de la piel de una naranja
el zumo de 2 naranjas
150 ml de jerez
1 cucharada de salsa Worcestershire
300 g de champiñones a láminas
2 cucharadas de perejil fresco picado
arroz hervido para acompañar

50 minutos-1 hora • 4 raciones

1 Calentar dos cucharadas de aceite en una cazuela grande, añadir la cebolla y freír durante 10 minutos, hasta que esté blanda. Reservar en una bandeja.

2 Pasar el pollo por la harina salpimentada. Calentar el resto del aceite en la sartén, agregar el pollo y freír hasta que esté dorado. Añadir el caldo, la cebolla frita con su jugo, la ralladura de naranja y el zumo, el jerez y la salsa Worcestershire. Cuando arranque el hervor, bajar el fuego, tapar y dejar cocer a fuego lento durante 25 minutos.

3 Incorporar los champiñones y dejar cocer durante 5 minutos. Probar y rectificar de sal y pimienta recién molida si es necesario. En el momento de servir, espolvorear con el perejil. Acompañar con arroz hervido.

• Cada ración contiene: 375 kilocalorías, 41 g de proteínas, 14 g de hidratos de carbono, 14 g de grasas, 3 g de grasas saturadas, 2 g de fibra, 0 azúcar añadido, 0,82 g de sal.

Si se quiere preparar un plato sencillo pero especial esta original ensalada satay resulta perfecta.

Ensalada de pollo satay

4 pechugas de pollo deshuesadas sin piel
1/2 pepino, partido por la mitad a lo largo y cortado a láminas
1 cebolla roja, partida por la mitad y cortada a láminas finas
140 g de brotes germinados
un puñado de hojas de cilantro fresco
2 cucharadas de aceite de oliva
1 cucharada de zumo de limón

PARA EL ALIÑO
5 cucharadas de mantequilla de cacahuete
3 cucharadas de zumo de limón
1-2 cucharadas de pasta de curry rojo tailandesa

30 minutos • 4 raciones

1 Calentar la parrilla. Sazonar las pechugas de pollo y cocerlas en la plancha 8 minutos por cada lado hasta que estén bien hechas y tengan las marcas de la plancha bien visibles.
2 Mientras tanto, mezclar el pepino, la cebolla, los germinados, el cilantro, el aceite de oliva y el zumo de limón en una ensaladera poco profunda. Mezclar los ingredientes del aliño con una cucharada de pasta de curry para darle una consistencia cremosa. Probar el aliño y añadir otra cucharada de curry si se desea un sabor más picante.
3 Cortar el pollo a tiras en diagonal y esparcirlo sobre la ensalada. Aderezar con un poco de aliño y servir el resto por separado.

• Cada ración contiene: 343 kilocalorías, 40 g de proteínas, 5 g de hidratos de carbono, 18 g de grasas, 1 g de grasas saturadas, 2 g de fibra, 0 azúcar añadido, 0,55 g de sal.

Esta versión italiana del pastel de carne con patatas constituye un buen plato único y saca partido de la polenta precocinada.

Pastel de polenta picante

1 cebolla troceada
1 cucharada de aceite vegetal
400 g de carne picada de cordero o de ternera
420 g de salsa de tomate, champiñones y chile rojo o 400 g de salsa arrabiata
500 g de polenta precocinada
50 g de parmesano rallado

45-50 minutos • 3-4 raciones

1 Sofreír la cebolla con el aceite durante 5 minutos, agregar la carne picada y sofreír durante 5 minutos más, hasta que esté dorada. Verter el tarro de salsa. Cuando arranque el hervor, tapar y dejar cocer durante 20 minutos, añadiendo un chorro de agua si el guiso queda demasiado espeso.

2 Precalentar el gratinador a la máxima temperatura. Cortar la polenta en unas 20 láminas. Colocar la carne en una fuente de horno (más o menos de 1,5 litros de capacidad) y repartir la polenta por encima en capas solapadas. Espolvorear con el queso. Gratinar durante 5 minutos hasta que la polenta y el queso queden dorados por los extremos.

• Cada ración contiene: 457 kilocalorías, 32 g de proteínas, 28 g de carbohidratos, 25 g de grasas, 11 g de grasas saturadas, 4 g de fibra, 3 g de azúcar añadido, 2,98 g de sal.

Esta deliciosa combinación de aromas dulces y picantes es una cena ideal para cualquier día entre semana.

Pollo cajún con arroz y piña

2 cucharadas de aceite de oliva
1 pimiento rojo, sin semillas y troceado
200 g de maíz congelado o 340 g de maíz en conserva escurrido
2 cucharadas de sazonador cajún
250 g de arroz de grano largo
1 pastilla de caldo de pollo
4 pechugas de pollo deshuesadas sin piel
227 g de rodajas de piña en su jugo

25-35 minutos • 4 raciones

1 Calentar una cucharada de aceite en una cacerola con tapa. Añadir el pimiento, el maíz y media cucharada del sazonador, y sofreír durante un par de minutos. Agregar el arroz y 700 ml de agua para deshacer la pastilla de caldo. Cuando arranque el hervor, remover, bajar el fuego, tapar y dejar cocer durante 15 minutos.
2 Mientras tanto, esparcir el sazonador restante sobre las pechugas de pollo. Calentar el resto de aceite en una sartén y freír las pechugas a fuego medio durante 6-8 minutos por cada lado hasta que estén doradas.
3 Incorporar al arroz la piña y su jugo y cocer durante 2-3 minutos más. Probar y rectificar de sal. Para servir, colocar las pechugas de pollo sobre el arroz.

• Cada ración contiene: 524 kilocalorías, 40 g de proteínas, 71 g de hidratos de carbono, 11 g de grasas, 1 g de grasas saturadas, 2 g de fibra, 0 azúcar añadido, 1,26 g de sal.

Este sustancioso y vistoso goulash puede servirse en cuencos, con una cucharada de yogur desnatado por encima.

Goulash rápido

2 cucharadas de aceite de oliva
450 g de salchichas bajas en grasa cortadas a trozos
2 cebollas, troceadas
400 g de tomate troceado en conserva
1 cucharada de puré de tomate
1 cucharada de caldo en polvo
1 cucharada de páprika
un buen puñado de azúcar
4 patatas harinosas medianas cortadas a dados
2 puñados de verduras de primavera troceadas

40-50 minutos • 4 raciones

1 Calentar una cucharada de aceite en una cazuela grande y freír las salchichas hasta que estén doradas. Retirar de la cazuela y reservar.
2 Freír las cebollas con el resto del aceite a fuego fuerte, removiendo de vez en cuando, durante 5 minutos o hasta que la cebolla esté dorada. Añadir los tomates, evitando que se formen grumos, y el puré de tomate. Echar en la cazuela 800 ml de agua. Espolvorear con el caldo, el páprika y el azúcar. Sazonar. Remover y llevar a ebullición.
3 Agregar las patatas a la cazuela, tapar y dejar cocer a fuego lento durante 10 minutos, removiendo de vez en cuando.
4 Incorporar las verduras y las salchichas y cocer a fuego fuerte durante 5 minutos. Probar, rectificar de sal y servir.

• Cada ración contiene: 417 kilocalorías, 21 g de proteínas, 42 g de hidratos de carbono, 19 g de grasas, 5 g de grasas saturadas, 5 g de fibra, 1 g de azúcar añadido, 4,34 g de sal.

En la sección de *delicatessen* de los grandes supermercados se puede encontrar pollo cocido para esta ensalada refrescante y ácida.

Pollo oriental con ensalada de melocotón

2 pollos asados de 1,5 kg o 3 de 1 kg, preferentemente de corral
4 melocotones grandes maduros, deshuesados
200 g de tirabeques, cortados a tiras finas
6 cebollas tiernas, cortadas a láminas
4 cucharadas de cilantro fresco troceado
la ralladura y el zumo de 2 limas
2 cucharadas de miel
2 cucharaditas de jengibre fresco rallado
2 cucharadas de salsa de soja
6 cucharadas de aceite de girasol
1 cucharada de aceite de sésamo
cuscús hervido, para acompañar

25-35 minutos • 8 raciones

1 Cortar la carne del pollo a tiras y colocarla en un bol. Cortar los melocotones a gajos y reservar el jugo que puedan dejar. Añadir los melocotones y su jugo al pollo junto con los tirabeques, las cebollas y el cilantro.
2 Colocar en un cuenco pequeño la ralladura y el zumo de limón, la miel, el jengibre y la salsa de soja y sazonar. Agregar lentamente el aceite de girasol hasta que vaya espesando, añadir después el aceite de sésamo. Aliñar la ensalada con esta mezcla y servir acompañada de cuscús.

• Cada ración contiene: 520 kilocalorías, 49 g de proteínas, 9 g de hidratos de carbono, 32 g de grasas, 9 g de grasas saturadas, 2 g de fibra, 3 g de azúcar añadido, 1,05 g de sal.

La pasta de curry da un toque explosivo de aroma picante a este plato que ayuda a entrar en calor.

Potaje de judías picante de Halloween

- 2 cucharadas de aceite vegetal
- 1 cebolla troceada
- 1 patata grande, pelada y cortada a dados
- 500 g de carne picada de cordero o ternera
- 2 cucharadas casi colmadas de pasta de curry
- 700 g de calabaza, pelada y cortada a dados
- 415 g de judías cocidas

45-55 minutos • 4 raciones

1 Calentar el aceite en una cazuela grande, añadir la cebolla y freír a fuego fuerte durante 5-8 minutos, hasta que esté muy dorada, removiendo de vez en cuando para que no se queme. Agregar las patatas, saltear durante un minuto y añadir la carne. Seguir removiendo para desmenuzar la carne y cocer hasta que haya perdido el color rosado.

2 Incorporar la pasta de curry y cocer durante un minuto para intensificar el aroma de las especias. Añadir la calabaza y 300 ml de agua hirviendo. Tapar y dejar cocer a fuego lento durante 25-30 minutos, removiendo de vez en cuando, hasta que las hortalizas y la carne estén tiernas y jugosas.

3 Agregar las judías y remover bien. Dejarlas al fuego durante unos minutos y servir.

• Cada ración contiene: 470 kilocalorías, 34 g de proteínas, 42 g de hidratos de carbono, 19 g de grasas, 6 g de grasas saturadas, 8 g de fibra, 4 g de azúcar añadido, 2,18 g de sal.

¡El curry más fácil de preparar! Los más atareados estarán encantados de no tener que pesar los ingredientes.

Curry fácil tailandés

1 cucharada casi colmada de pasta de curry verde tailandés
400 ml de leche de coco
2 filetes de pechuga de pollo sin piel, cortados a tiras
1 pimiento rojo, sin semillas y cortado a dados
3 cebollas tiernas, partidas por la mitad y cortadas a trozos largos
1 tazón de guisantes congelados

PARA ACOMPAÑAR
2 cucharadas de cilantro fresco o albahaca picados
arroz o fideos

15-25 minutos • 2 raciones

1 Calentar la pasta de curry en una cazuela mediana durante unos segundos, verter la leche de coco y dejar que hierva.
2 Agregar el pollo, el pimiento rojo, las cebollas y los guisantes. Cuando vuelva a hervir, bajar el fuego y cocer a fuego lento durante 5 minutos, hasta que el pollo esté tierno pero las hortalizas mantengan un poco su textura.
3 Espolvorear el cilantro o la albahaca y servir acompañado de arroz o fideos.

• Cada ración contiene: 579 kilocalorías, 41 g de proteínas, 15 g de hidratos de carbono, 40 g de grasas, 28 g de grasas saturadas, 3 g de fibra, 0 azúcar añadido, 1,75 g de sal.

Un estofado marroquí, saludable y consistente, ideal para compartir con la familia y los amigos.

Cordero con orejones, almendras y menta

- 2 cucharadas de aceite de oliva
- 550 g de carne magra de cordero, a tacos
- 1 cebolla troceada
- 2 dientes de ajo picados
- 700 ml de caldo de pollo o cordero
- la ralladura y el zumo de 1 naranja
- 1 rama de canela
- 1 cucharadita de miel
- 175 g de orejones de albaricoque
- 4 cucharadas de hojas de menta fresca troceadas
- 25 g de almendra picada
- 25 g de almendras laminadas tostadas
- brécol y cuscús al vapor, como guarnición

2 horas • 4 raciones

1 Calentar el aceite en una cazuela grande. Añadir el cordero y cocer a fuego medio durante 3-4 minutos, hasta que tome un color dorado, removiendo a menudo. Retirar el cordero con una espumadera.
2 Agregar la cebolla y el ajo a la cazuela y cocer a fuego fuerte durante 5 minutos. Devolver el cordero a la cazuela. Añadir el caldo, la ralladura y el zumo de naranja, la canela, la miel y un poco de sal y pimienta. Cuando arranque el hervor, tapar y dejar cocer a fuego suave durante 1 hora.
3 Agregar los orejones y dos terceras partes de la menta. Cocer durante 30 minutos, hasta que el cordero esté tierno. Añadir las almendras en polvo para espesar la salsa. Antes de servir, espolvorear el resto de la menta y las almendras tostadas.

• Cada ración contiene: 439 kilocalorías, 33,8 g de proteínas, 22,3 g de hidratos de carbono, 24,4 g de grasas, 6,5 g de grasas saturadas, 4,2 g de fibra, 1 g de azúcar añadido, 0,84 g de sal.

Una versión rápida y aromática
de un clásico jamaicano.

Pollo jerk con arroz y frijoles

1 cucharada de aceite de oliva
3 cucharadas de salsa jerk jamaicana
4 filetes de lomo de cerdo, de 500 g en total
1 pastilla de caldo de ave
50 g de puré de coco
1 manojo de cebollas tiernas, a láminas
500 g de arroz basmati al vacío cocido
410 g de frijoles rojos cocidos, escurridos

10 minutos • 4 raciones (pueden repartirse fácilmente)

1 Calentar el aceite a fuego moderado en una sartén antiadherente mientras en un bol se impregna el lomo de cerdo con la salsa jerk por las dos caras. Colocar los filetes en el aceite caliente (reservar la salsa que queda en el bol), subir el fuego y freír durante 4 minutos por cada lado, hasta que estén cocidos.
2 Mientras tanto, verter 150 ml de agua hirviendo en una cazuela mediana a fuego fuerte y deshacer el caldo y el puré de coco. Incorporar las cebollas y remover, y a continuación añadir el arroz y las judías. Remover y hervir a fuego fuerte.
3 Calentar la salsa reservada en la sartén con el cerdo. Formar un montoncito de arroz en el plato, colocar el cerdo encima y rociar con el jugo de la sartén.

• Cada ración contiene: 833 kilocalorías, 42 g de proteínas, 73 g de hidratos de carbono, 43 g de grasas, 19 g de grasas saturadas, 13 g de fibra, 4 g de azúcar añadido, 2,37 g de sal.

Una cena rápida ideal con una combinación de aromas intensos. Sin más guarnición es un plato bajo en grasas.

Salteado de pollo y mango

1 mango maduro
450 g de pechugas de pollo deshuesadas, sin piel
4 cucharadas de aceite vegetal
1 manojo de cebollas tiernas, cortadas en diagonal
un trozo pequeño de jengibre, pelado y rallado
1 diente de ajo, picado o troceado
300 g de verduras listas para saltear
3 cucharadas de salsa de soja
1 cucharada de salsa de chile dulce

20-30 minutos • 4 raciones

1 Cortar el mango a lo largo a ambos lados del hueso, pelarlo y cortar la pulpa a dados. Cortar el pollo a tiras.

2 Calentar la mitad del aceite en una sartén grande o un wok. Añadir el pollo y sofreír durante 4-5 minutos, hasta que tome un poco de color. Pasar a un plato. Calentar el resto del aceite en la sartén, agregar las cebollas tiernas, el jengibre y el ajo. Sofreír durante 30 segundos antes de incorporar el mango y las verduras, y seguir sofriendo durante unos minutos.

3 Devolver el pollo a la sartén y verter las salsas de chile y de soja. Remover para que quede todo bien mezclado, tapar y dejar cocer durante 2 minutos, hasta que el pollo esté tierno y las verduras estén un poco blandas.

• Cada ración contiene: 201 kilocalorías, 31 g de proteínas, 16 g de hidratos de carbono, 2 g de grasas, 1 g de grasas saturadas, 4 g de fibra, 0 azúcar añadido, 2,48 g de sal.

La preparación de este plato, que hará las delicias de todos los comensales, es aún más rápida si se utiliza pollo ya cocido.

Curry de pollo y coco con frutas

200 g de arroz de grano largo, basmati o tailandés
1 cucharada de aceite de girasol
2 calabacines a dados
1 pimiento rojo, sin semillas, cortado a dados
275 g de pollo asado, deshuesado y sin piel
1 manojo de cebollas tiernas, cortadas en diagonal
100 ml de leche de coco desnatada
150 ml de caldo de pollo
1 cucharada de pasta de curry rojo tailandés
1 naranja a gajos

25-30 minutos • 4 raciones

1 Cocer el arroz en agua ligeramente salada durante unos 12 minutos. Mientras tanto, calentar el aceite en un wok o una sartén grande. Añadir los calabacines y el pimiento. Sofreír a fuego fuerte durante 3 minutos, hasta que empiecen a dorarse. Agregar el pollo y saltear, removiendo, durante 2 minutos.

2 Añadir las cebollas tiernas. Verter la leche de coco, el caldo y la pasta de curry. Calentar a fuego lento y dejar cocer, destapado, durante 5-6 minutos.

3 Agregar los gajos de naranja al pollo. Calentar durante 1-2 minutos y sazonar. Escurrir el arroz y repartirlo en cuatro platos templados. Servir con el pollo.

• Cada ración contiene: 445 kilocalorías, 30 g de proteínas, 58 g de hidratos de carbono, 11 g de grasas, 4 g de grasas saturadas, 2 g de fibra, 0 azúcar añadido, 0,8 g de sal.

Para ahorrar tiempo al preparar una cena saludable se puede enfriar y congelar este plato cuando las verduras y el cerdo estén cocidos.

Cerdo al estilo chino

4 zanahorias, peladas y cortadas a rodajas en diagonal
600 g de carne de cerdo, cortada a dados
1 pimiento rojo grande, sin semillas y cortado a trozos grandes
1 cucharada de *chinese five spice* en polvo
2 cucharadas de salsa de soja
1 pastilla de caldo de pollo o de verduras, desmenuzado
1 manojo de cebollas tiernas, con la parte blanca entera y la parte verde cortada a rodajas finas
arroz o fideos hervidos como guarnición

30-40 minutos • 4 raciones

1 Mezclar todos los ingredientes, excepto la cebolla tierna a láminas, en una cazuela grande. Taparla y reservar en frío.
2 Verter 600 ml de agua hirviendo sobre el cerdo y los vegetales y remover bien. Tapar la cazuela y llevar a ebullición. Remover, volver a tapar y dejar cocer a fuego lento durante 10 minutos, hasta que las verduras estén tiernas y el cerdo esté cocido.
3 Antes de servir, añadir los trozos de cebolla tierna. Acompañar con un cuenco de arroz o fideos.

• Cada ración contiene: 286 kilocalorías, 35 g de proteínas, 12 g de hidratos de carbono, 11 g de grasas, 4 g de grasas saturadas, 3 g de fibra, 0 azúcar añadido, 2,67 g de sal.

Este adobo es ideal también para chuletas de cerdo o de cordero, salchichas o hamburguesas.

Muslos de pollo picantes

2 cucharadas de salsa Worcestershire
2 cucharadas de zumo de naranja
2 cucharadas de mostaza inglesa
2 cucharadas de miel
4 muslos de pollo (con piel)
4 contramuslos de pollo (con piel)

40-50 minutos • 4 raciones

1 Verter la salsa Worcestershire, el zumo de naranja, la mostaza y la miel en un cuenco y removerlo hasta conseguir una mezcla homogénea. Untar con ella las piezas de pollo.
2 Colocar el pollo en la barbacoa y cocer durante 30 minutos, dándole la vuelta de vez en cuando y rociando con el adobo del cuenco, hasta que la piel tenga una buena capa de adobo y la carne esté cocida (el juego que suelta es transparente y no rosado ni rojo) al pincharla con un tenedor. Como alternativa, cocer el pollo en la parrilla durante 30 minutos o asarlo en el horno precalentado a 200ºC/gas 6/ convección 180ºC durante los mismos minutos.

• Cada ración contiene: 220 kilocalorías, 31 g de proteínas, 9 g de hidratos de carbono, 7 g de grasas, 2 g de grasas saturadas, 0 fibra, 8 g de azúcar añadido, 0,4 g de sal.

El cuscús combina a la perfección con el cordero, mientras que el aceite de chile aporta un toque extra ideal.

Cordero al chile con cuscús

2 cucharadas de pasta de chile o de salsa harissa
3 cucharadas de aceite de oliva
2 filetes de pierna de cordero
140 g de cuscús
25 g de almendras tostadas fileteadas
50 g de uvas
300 ml de caldo o agua caliente
cilantro o perejil picado para aderezar (opcional)

20-25 minutos • 2 raciones

1 Mezclar la pasta de chile con el aceite de oliva y una pizca de sal y pimienta. Esparcir una cucharada de esta mezcla sobre las dos caras de los filetes de cordero.

2 Precalentar la parrilla y cocer el cordero durante 3-4 minutos por cada lado hasta que esté dorado.

3 Mientras tanto, mezclar el cuscús, las almendras y las uvas en un recipiente. Verter el agua o el caldo, taparlo y dejar reposar durante 5 minutos. Remover con un tenedor y agregar el resto de aceite de chile. Formar un montoncito de cuscús en cada plato, colocar encima el cordero y espolvorear con un poco de cilantro o perejil, al gusto.

• Cada ración contiene: 609 kilocalorías, 51 g de proteínas, 54 g de hidratos de carbono, 22 g de grasas, 7 g de grasas saturadas, 2 g de fibra, 0 azúcar añadido, 0,39 g de sal.

Tostar las semillas de sésamo en una sartén o un wok, a fuego fuerte, removiendo de vez en cuando hasta que estén doradas.

Ternera salteada con salsa hoisin

1 cucharada de salsa de soja
1 cucharada de jerez seco
2 cucharaditas de aceite de sésamo
1 diente de ajo grande, picado
1 cucharadita de jengibre fresco rallado (o de pasta de jengibre en conserva)
200 g de solomillo de ternera, cortado a tiras finas
1 cucharada de aceite de girasol
1 zanahoria grande en juliana
100 g de tirabeques partidos por la mitad a lo largo
140 g de champiñones a láminas
3 cucharadas de salsa hoisin
1 cucharada de semillas de sésamo tostadas
fideos chinos para acompañar

20-25 minutos, más el adobo • 2 raciones

1 Mezclar la salsa de soja, el jerez, el aceite de sésamo, el ajo y el jengibre en un plato poco hondo. Añadir la carne y dejarla en adobo durante 20 minutos (o más si se dispone de tiempo).
2 Cuando esté listo el adobo, calentar el aceite de girasol en una sartén o un wok. Saltear la carne adobada durante 3-4 minutos a fuego fuerte, hasta que tome un color dorado. Retirar la carne del fuego, dejando los jugos en la sartén, y reservar en un plato.
3 Saltear la zanahoria en la sartén durante unos minutos. Agregar los tirabeques y freír durante un par de minutos más. Devolver la carne a la sartén, junto con los champiñones, y remover. Añadir la salsa hoisin y sofreír durante un minuto más. Espolvorear con las semillas de sésamo y servir inmediatamente acompañado con fideos chinos.

• Cada ración contiene: 390 kilocalorías, 33 g de proteínas, 20 g de hidratos de carbono, 9 g de grasas, 4 g de grasas saturadas, 6 g de fibra, 8 g de azúcar añadido, 2,41 g de sal.

Los filetes de pavo se cuecen con gran rapidez si están cortados en escalopa. Su sabor es muy distinto al del pollo.

Filetes de pavo con cítricos y jengibre

2 cucharaditas de harina de maíz
4 filetes de pechuga de pavo (en total, 300 g)
1 cucharada de aceite de girasol
el zumo de 2 naranjas
1 cucharadita de jengibre fresco rallado
1 cucharadita de miel
1 naranja, pelada y a gajos
1 pomelo, pelado y a gajos
1 cucharada de cebollino fresco o de perejil picado
arroz y brécol, como guarnición

30-40 minutos • 2 raciones

1 Esparcir la cucharadita de harina de maíz en un plato y enharinar los filetes de pavo. Calentar el aceite en una sartén antiadherente hasta que esté realmente caliente. Freír el pavo durante 3-4 minutos, dándole la vuelta para que esté dorado por ambos lados (si es necesario, freírlo por partes). Reservar en un plato.

2 Agregar a la sartén el zumo de naranja, el jengibre y la miel. Llevar a ebullición a fuego moderado. Mezclar el resto de harina con una cucharada de agua fría y añadir a la salsa. Remover a fuego suave hasta que tenga una consistencia espesa. Sazonar.

3 Devolver el pavo a la sartén. Agregar los gajos de naranja y pomelo y calentar a fuego suave. Espolvorear el cebollino o el perejil y servir acompañado de arroz o brécol.

• Cada ración contiene: 310 kilocalorías, 39 g de proteínas, 25 g de hidratos de carbono, 7 g de grasas, 1 g de grasas saturadas, 3 g de fibra, 2 g de azúcar añadido, trazas de sal.

Una ensalada de pollo templada muy saludable con un sabor y una textura potenciados por los aromas picantes y la cremosidad del aguacate.

Ensalada de pollo

2 cucharaditas de aceite de oliva
1 cucharadita de polvo de chile suave
3 filetes de pechuga de pollo, sin piel, de 350 g en total, cortados a tiras

PARA LA ENSALADA
300 g de col blanca
un buen puñado de cilantro fresco picado
la ralladura y el zumo de 1 lima
300 g de tomates cherry partidos por la mitad
2 aguacates maduros, sin hueso, pelados y cortados a láminas
410 g de frijoles rojos cocidos, escurridos y lavados
1/2 cebolla pequeña o 1 escalonia, a láminas

30-40 minutos • 4 raciones

1 Mezclar el aceite con el chile, añadir el pollo y remover hasta que todos los trozos estén impregnados del aceite picante.
2 Cortar la col a tiras finas, preferiblemente con un robot de cocina. Colocarla en un recipiente junto con el cilantro, la ralladura y el zumo de lima y remover bien. Incorporar los tomates, el aguacate, los frijoles y la cebolla y remover cuidadosamente para no estropear los ingredientes.
3 Calentar una sartén antiadherente y freír el pollo durante 4 minutos hasta que esté cocido, pero todavía jugoso. Mezclar con la ensalada y servir todavía caliente.

• Cada ración contiene: 352 kilocalorías, 30 g de proteínas, 20 g de hidratos de carbono, 17 g de grasas, 2 g de grasas saturadas, 9 g de fibra, 0 azúcar añadido, 0,87 g de sal.

Bajo su aspecto exterior el nabo esconde una cremosa pulpa con un aroma parecido al del apio: la pareja ideal para el salmón.

Salmón con crema de nabo a la mostaza

2 filetes de salmón de 100 g cada uno
4 cucharaditas de aceite de oliva
700 g de nabos, pelados y cortados a dados
100 g de hojas de espinacas

PARA EL ALIÑO
2 cucharaditas de mostaza en grano
2 cucharaditas de zumo de limón
una pizca de azúcar

25 minutos • 2 raciones

1 Colocar los filetes de salmón en una bandeja de horno forrada con papel de aluminio. Aliñar con una cucharadita de aceite y sazonar.
2 Colocar el nabo en una cazuela con agua fría ligeramente salada. Cuando arranque el hervor, dejar cocer a fuego lento durante 12-15 minutos, hasta que esté tierno. Precalentar la parrilla a media temperatura.
3 Asar el salmón a la parrilla durante 5 minutos por cada lado. Mientras tanto, escurrir el nabo, dejando una cucharada de agua en la cazuela. Volver a echar el nabo en la cazuela y triturarlo a fuego bajo hasta que quede cremoso. Añadir una cucharada del aderezo de mostaza y las espinacas y mezclar.
4 Repartir la crema en dos platos, colocar encima el salmón y condimentar con el resto del aliño.

• Cada ración contiene: 236 kilocalorías, 25 g de proteínas, 6 g de hidratos de carbono, 13 g de grasas, 2 g de grasas saturadas, 9 g de fibra, 0 azúcar añadido, 0,98 g de sal.

Esta receta, que utiliza ingredientes fáciles de encontrar en cualquier despensa, puede servir como plato único.

Sopa de pescado apetitosa

2 cucharadas de aceite de oliva o de girasol
1 patata grande, pelada y cortada a dados grandes
1 cebolla mediana troceada
1 diente de ajo grande picado, o 1 cucharadita de pasta de ajo
800 g de tomate troceado en conserva
2 cucharadas de puré de tomate
1/2 cucharadita de tomillo en polvo
un chorrito de salsa de soja
410 g de judías blancas cocidas, escurridas y lavadas
500 g de filetes de pescado (por ejemplo, bacalao) a trozos grandes
un puñado de perejil picado

20 minutos • 4 raciones

1 Calentar el aceite en una sartén o un wok grandes. Secar las patatas con papel de cocina y cocerlas tapadas a fuego medio o fuerte durante 5 minutos, removiendo de vez en cuando, hasta que estén doradas. Incorporar la cebolla y el ajo y dejar cocer 3-4 minutos más a fuego fuerte, hasta que la cebolla esté dorada.

2 Añadir el tomate troceado, el puré de tomate, el tomillo y la salsa de soja, y dejarlo hervir durante un par de minutos. Agregar las judías y una pizca de sal y pimienta, y a continuación los trozos de bacalao, sumergiéndolos en la salsa. No remover para evitar que se rompa el pescado. Tapar y dejar cocer a fuego suave durante 4 minutos, hasta que el pescado esté cocido. Espolvorear con el perejil y servir.

• Cada ración contiene: 306 kilocalorías, 32 g de proteínas, 29 g de hidratos de carbono, 7 g de grasas, 1 g de grasas saturadas, 7 g de fibra, 0 azúcar añadido, 0,96 g de sal.

Para preparar una versión baja en grasas de esta ensalada picante puede sustituirse la mayonesa por yogur desnatado con un chorrito de limón.

Ensalada de patata, atún y rábano picante

760 g de patatas nuevas, partidas por la mitad
2 latas de 200 g de atún en aceite, escurrido
una lata de 410 g de judías blancas, escurridas
2 tallos de apio, cortados finos
1 cebolla roja pequeña, cortada a láminas
25 g de perejil fresco, troceado
2-3 cucharadas de crema de rábano picante
4 cucharadas de mayonesa
el zumo de 1 limón
hojas de ensalada para acompañar

30-40 minutos • 4 raciones

1 Colocar las patatas en una olla con agua salada hirviendo y dejarlas cocer durante 10-15 minutos. Escurrirlas bien.
2 Cuando estén templadas, colocar las patatas en una fuente para servir. Añadir el atún, las judías, el apio, la cebolla y el perejil, y mezclar.
3 Poner en un cuenco pequeño la crema de rábanos picantes, la mayonesa, el zumo de limón y 2-3 cucharadas de agua templada. Sazonar ligeramente y probar. Aliñar y remover suavemente. Servir sobre un lecho de hojas de lechuga.

• Cada ración contiene: 388 kilocalorías, 27 g de proteínas, 42 g de hidratos de carbono, 14 g de grasas, 2 g de grasas saturadas, 6 g de fibra, 1 g de azúcar añadido, 1,79 g de sal.

Un plato clásico y rápido de la cocina australiana: gambas picantes con patatas crujientes.

Gambas con mayonesa picante

18 gambas grandes, crudas y sin pelar
2 cucharadas de aceite de oliva
patatas asadas crujientes y lechuga, para acompañar

PARA LA MAYONESA
un tarro de 200 g de mayonesa
2 limas
1 diente de ajo picado
3 cucharadas de cilantro fresco picado

20-30 minutos • 6 raciones

1 Echar la mayonesa en un cuenco. Rallar muy fina la corteza de una de las limas y agregarla a la mayonesa junto con el zumo de las dos limas, el ajo y el cilantro. Remover, tapar y reservar en frío.

2 Ensartar las gambas en 6 brochetas, untarlas con aceite y cocerlas en la barbacoa durante 3-4 minutos por cada lado hasta que la cáscara se vuelva rosada y la carne se vuelva blanquecina. Como alternativa, cocinar las brochetas de gamba en la parrilla durante el mismo tiempo. Retirar las gambas de las brochetas y servirlas con la mayonesa, las patatas y la lechuga.

• Cada ración contiene: 311 kilocalorías, 11 g de proteínas, 1 g de hidratos de carbono, 29 g de grasas, 5 g de grasas saturadas, 0 fibra, 0 azúcar añadido, 0,67 g de sal.

Para dar un toque especial a esta combinación baja en grasas de pescado y patatas fritas se puede acompañar con una deliciosa salsa raita de naranja.

Pescado asado con patatas fritas al gusto picante

3 patatas asadas medianas y 2 boniatos medianos, limpios y cortados en 6-8 tiras (no hace falta pelarlos)
2 cucharadas de aceite de chile o de oliva
4 filetes de pescado blanco, de unos 175 g cada uno
1/2 cucharadita de semillas de comino

PARA LA SALSA RAITA DE NARANJA
1 naranja grande
1/4 de pepino, troceado
1 cebolla roja pequeña, troceada
1 cucharada de menta fresca picada
1 cucharada de vinagre de vino blanco
3 cucharadas de yogur natural desnatado

1 hora y 10 minutos • 4 raciones

1 Precalentar el horno a 200ºC/gas 6/convección 180ºC. Introducir las patatas y los boniatos en una bandeja y untarlos con el aceite. Sazonarlos y cocerlos durante 40-45 minutos, hasta que estén blandos, dándoles la vuelta a la mitad del tiempo.
2 Mientras tanto, pelar la naranja con un cuchillo de sierra para retirar la parte blanca (sobre un cuenco para recoger el jugo, que se necesitará más adelante). Separar los gajos y trocearlos. Mezclarlos con el pepino, la menta, el vinagre y el yogur. Añadir un toque de sal y pimienta, y reservar la mezcla tapada.
3 Untar una bandeja de horno con aceite y colocar el pescado. Sazonar, rociar con el zumo de naranja reservado anteriormente y con las semillas de comino. Asar juntamente con las patatas durante 12-15 minutos. Servir con la salsa raita de naranja.

• Cada ración contiene: 318 kilocalorías, 36 g de proteínas, 29 g de hidratos de carbono, 7 g de grasas, 1 g de grasas saturadas, 3 g de fibra, 0 azúcar añadido, 0,36 g de sal.

El atún fresco adquiere una textura aún mejor si se macera antes de la cocción.

Atún a la plancha con ensalada de alubias

2 filetes de atún fresco, de aproximadamente 175 g cada uno
1 cucharada de aceite de oliva
1 cucharada de zumo de limón
1 diente de ajo grande, triturado
1 cucharada de hojas de romero fresco, picadas

PARA LA ENSALADA
410 g de alubias blancas cocidas, escurridas y aclaradas
8 tomates cherry, en cuartos
1/2 cebolla roja pequeña, en rodajas finas
50 g de rúcula
2 cucharadas de aceite de oliva virgen extra
1 cucharada de zumo de limón
1 cucharadita de mostaza en grano
1 cucharadita de miel clara

30-40 minutos, más la maceración • 2 raciones

1 Poner el atún en un plato llano, rociar con el aceite y el zumo de limón y esparcir por encima el romero y el ajo. Girar el atún cuando esté bien cubierto. Tapar y dejar en la nevera durante al menos 30 minutos.
2 Poner las alubias en un bol grande. Añadir los tomates, la cebolla y la rúcula. En un mezclador añadir el aceite, el zumo de limón, la mostaza, la miel y sazonar un poco. Tapar y reservar.
3 Calentar una parrilla de hierro o una sartén hasta que esté muy caliente. Asar el atún en fuego moderadamente alto durante 2 minutos por cada lado. No exceder el tiempo para que no se seque.
4 Agitar el aliño. Poner sobre la ensalada y mezclar todo bien. Servir la ensalada con el atún encima.

• Cada ración contiene: 565 kilocalorías, 54 g de proteínas, 30 g de carbohidratos, 26 g de grasas, 5 g de grasas saturadas, 9 g de fibra, 2 g de azúcar añadido, 0,67 g de sal.

Una receta muy rápida para microondas con solo cuatro ingredientes y un sinfín de aromas. ¿Puede haber algo mejor para una cena entre semana?

Bacalao cremoso al minuto

2 filetes de bacalao sin piel, de unos 175 g cada uno
un puñado de hojas de berro
4 cucharadas casi colmadas de nata líquida
1 cucharada casi colmada de salsa de rábanos picantes
gajos de limón para acompañar

10-15 minutos • 2 raciones

1 Colocar los filetes de bacalao uno junto a otro en una fuente para microondas y salpimentar. Trocear los berros y mezclarlos en un cuenco con la nata, la crema de rábanos y una pizca de sal.

2 Esparcir la salsa sobre los trozos de pescado (no hace falta extenderla). Tapar la fuente con film adhesivo, agujerearla e introducirla en el microondas a potencia alta durante 4-5 minutos (si no se dispone de plato giratorio, darle la vuelta) hasta que el pescado esté blanco y empiece a deshojarse.

3 Retirar la fuente del microondas y dejarla reposar 2-3 minutos sin retirar todavía el film adhesivo. Destapar y servir directamente, con las rodajas de limón para aderezar.

• Cada ración contiene: 315 kilocalorías, 35 g de proteínas, 4 g de hidratos de carbono, 18 g de grasas, 8 g de grasas saturadas, 1 g de fibra, 1 g de azúcar añadido, 0,65 g de sal.

En esta receta se utilizan garbanzos cocidos en lugar de patatas. De este modo, las empanadas son realmente rápidas de preparar.

Empanada picante de atún y garbanzos

150 g de yogur natural desnatado
un puñado de cilantro fresco, troceado
2 latas de 410 g de garbanzos, escurridos y lavados
2 latas de 200 g de atún en aceite, escurrido
1 cebolla pequeña, finalmente picada
1 diente de ajo picado
2 cucharadas de zumo de limón
1 cucharadita de semillas de comino
1/2 chile seco molido
2 cucharadas de harina
4 cucharaditas de aceite vegetal
12 tomates cherry, partidos por la mitad

25-35 minutos • 4 raciones

1 Mezclar el yogur con la mitad del cilantro en un cuenco pequeño. Taparlo y reservar.
2 Introducir los guisantes en un robot de cocina. Triturar durante unos segundos para que no pierdan su textura. Verter en un cuenco grande. Desmigar el atún y mezclarlo con la cebolla, el ajo, el zumo de limón, el comino, el chile y el resto del cilantro. Salpimentar y remover. Dar la forma de 12 empanadas con las manos. Enharinar.
3 Calentar la mitad del aceite en una sartén. Cocer 6 empanadas durante 5-6 minutos, dándoles la vuelta una vez. Mantenerlas calientes mientras se cuece el resto.
4 Freír los tomates a fuego fuerte durante 30-40 minutos para que tomen temperatura y empiecen a ablandarse. Servirlos como guarnición de las empanadas y la salsa de cilantro.

• Cada ración contiene: 327 kilocalorías, 33 g de proteínas, 32 g de hidratos de carbono, 8 g de grasas, 1 g de grasas saturadas, 6 g de fibra, 0 azúcar añadido, 1,51 g de sal.

Esta receta de pescado demuestra que reducir las grasas no equivale a reducir el sabor.

Eglefino con salsa de tomate picante

1 cucharada de aceite de oliva
1 cebolla, a láminas finas
1 berenjena pequeña, de unos 250 g, cortada a trozos
1/2 cucharadita de páprika molido
2 dientes de ajo picados
1 lata de 400 g de tomates troceados
1 cucharadita de azúcar mascabado
8 hojas grandes de albahaca, y unas cuantas más para espolvorear
4 filetes de 175 g de pescado blanco duro sin piel, por ejemplo de eglefino
lechuga y pan crujiente como guarnición

40-50 minutos • 4 raciones

1 Calentar el aceite en una sartén antiadherente y saltear la cebolla y la berenjena. Al cabo de unos 4 minutos, tapar y dejar que las verduras sigan cociéndose en su jugo durante 6 minutos (así quedarán más blandas sin necesidad de añadir aceite).

2 Agregar el páprika, el ajo, los tomates y el azúcar, junto con media cucharadita de sal, y dejar cocer durante 8-10 minutos más, removiendo, hasta que la cebolla y la berenjena estén tiernas.

3 Esparcir las hojas de albahaca y añadir el pescado a la salsa. Tapar la sartén y dejar cocer durante 6-8 minutos, hasta que el pescado se deshoje al pincharlo con un cuchillo y la carne esté firme pero jugosa. Espolvorear el resto de albahaca y servir acompañado de lechuga y pan crujiente.

• Cada ración contiene: 212 kilocalorías, 36 g de proteínas, 8 g de hidratos de carbono, 4 g de grasas, 1 g de grasas saturadas, 3 g de fibra, 1 g de azúcar añadido, 0,5 g de sal.

Para preparar una ensalada templada saltear los langostinos con el aliño de chile. Este plato picante resulta delicioso con pollo asado.

Ensalada de langostinos picante

2 huevos
2 cucharadas de aceite de oliva
3 cucharadas de zumo de lima, aproximadamente de 1 lima
2 cucharadas de salsa de chile suave
2 cebollas tiernas
1 cogollo
1 lata de 200 g de maíz dulce con pimiento, escurrida
140 g de tomates cherry partidos por la mitad
125 g de langostinos cocidos pelados

15-25 minutos • 2 raciones

1 Poner a hervir una olla pequeña con agua. Sumergir cuidadosamente los huevos, dejar que hiervan durante 8 minutos e introducirlos en un cuenco de agua fría hasta que vayan a utilizarse.
2 Mezclar el aceite de oliva, el zumo de lima y el chile dulce en un cuenco pequeño. Cortar a láminas las cebollas y agregarlas al aliño.
3 Pelar los huevos y cortarlos a rodajas. Separar las hojas de lechuga y repartirlas en dos platos. Esparcir el maíz sobre la lechuga y añadir los tomates partidos por la mitad. Acabar el plato con los langostinos y las rodajas de huevo, todo aderezado con el aliño de chile.

• Cada ración contiene: 383 kilocalorías, 25 g de proteínas, 28 g de hidratos de carbono, 20 g de grasas, 4 g de grasas saturadas, 3 g de fibra, 7 g de azúcar añadido, 4,23 g de sal.

Un plato principal repleto de aromas poco corrientes, una opción genial para una cena informal.

Salmón crujiente con crema de judías

4 filetes de salmón sin piel, de unos 175 g cada uno
1 lima
3 cucharadas de miel
1 cucharada de mostaza en grano
3 latas de 410 g de judías blancas, escurridas
25 g de mantequilla
5 cucharadas de nata líquida
1 diente de ajo picado
100 g de rúcula

10 minutos • 4 raciones

1 Calentar el gratinador a la máxima potencia. Colocar los filetes de salmón por el lado de la piel y algo separados en una fuente apta para el horno. Poner en un cuenco la ralladura fina de la lima, el zumo y agregar también la miel, la mostaza y una pizca de sal. Derramar la mezcla sobre los filetes de salmón y gratinar, sin darles la vuelta, durante 5-6 minutos hasta que los filetes estén dorados por fuera y cocidos por dentro (comprobar con un tenedor).
2 Mientras tanto, saltear las judías en una sartén con la mantequilla, la nata y el ajo. Sazonar. A fuego medio, aplastar las judías hasta formar una pasta. Añadir la rúcula y dejar en el fuego hasta que esté caliente.
3 Servir el salmón sobre la crema, aderezada con los jugos de la cocción.

• Cada ración contiene: 661 kilocalorías, 48 g de proteínas, 36 g de hidratos de carbono, 32 g de grasas, 11 g de grasas saturadas, 9 g de fibra, 11 g de azúcar añadido, 2,4 g sal.

Las vieiras más grandes pueden encontrarse en la pescadería, mientras que las más pequeñas suelen estar disponibles en los supermercados.

Vieiras en salsa de tomate con chile

- 450 g de patatas harinosas, peladas y cortadas a dados
- 3 cucharadas de aceite de oliva
- 2 lonchas de jamón de Parma
- 1 escalonia, finamente troceada
- 200 ml de caldo de pescado (puede ser de pastilla)
- 1 cucharada colmada de puré de tomate seco con ajo
- 1 chile rojo suave, sin semillas y finamente troceado
- 8 vieiras grandes o 10 pequeñas
- 3 cucharadas de cilantro fresco picado

35 minutos • 2 raciones

1 Hervir las patatas en agua ligeramente salada durante 12-15 minutos, hasta que estén tiernas.

2 Mientras tanto, calentar 1 cucharada de aceite en una sartén. Freír el jamón de Parma hasta que esté crujiente. Escurrir, cortar a trozos y reservar. Freír la escalonia en el mismo aceite.

3 Poner en la sartén 2 cucharadas de caldo, el puré de tomate y ajo y el chile. Cocer durante 1 minuto. Añadir el caldo restante y dejar reducir en una tercera parte.

4 Bajar el fuego, agregar las vieiras y dejar cocer a fuego suave durante 3-5 minutos, si son pequeñas, o durante 5-6, si son grandes.

5 Escurrir y aplastar las patatas junto con el cilantro y el resto del aceite. Sazonar. Repartir la crema en los platos, colocar las vieiras al lado y repartir por encima el jamón crujiente.

• Cada ración contiene: 546 kilocalorías, 46 g de proteínas, 46 g de hidratos de carbono, 21 g de grasas, 4 g de grasas saturadas, 3 g de fibra, 0,1 g de azúcar añadido, 2,25 g de sal.

La ensalada de naranja es el refrescante contrapunto a la textura aceitosa de la caballa, al tiempo que aporta una buena dosis de vitamina C.

Caballa picante con ensalada de naranja

2 caballas frescas de 225 g, limpias y sin cabeza (pedir al pescadero que lo haga)
1/2 cucharadita de páprika
1/4 de cucharadita de comino y cilantro en polvo, respectivamente
1 cucharadita de aceite de oliva

PARA LA ENSALADA
3 naranjas pequeñas
un puñado de hojas de perejil, troceadas
1 cebolla roja pequeña, en láminas finas
1 cucharadita de aceite de oliva virgen extra

25 minutos • 2 raciones

1 Precalentar el gratinador a la máxima potencia. Hacer tres cortes en diagonal en el lado de cada caballa. Mezclar las especias con el aceite y derramar la mezcla sobre el pescado. Colocar el pescado en una fuente de horno honda.
2 Gratinar el pescado durante 12 minutos, dándole la vuelta cuando hayan transcurrido 6 minutos, hasta que esté cocido y crujiente.
3 Mientras tanto pelar las naranjas y retirar toda la parte blanca con un cuchillo de sierra. Cortar los gajos a rodajas.
4 Añadir el perejil y la cebolla a las rodajas de naranja y aderezar con el aceite de oliva virgen extra. Servir acompañando a la caballa picante.

• Cada ración contiene: 449 kilocalorías, 31 g de proteínas, 20 g de hidratos de carbono, 28 g de grasas, 5 g de grasas saturadas, 4 g de fibra, 0 azúcar añadido, 0,27 g sal.

Las bolsas de marisco congelado son muy prácticas. Se utiliza la cantidad que se necesita y se guarda el resto para otra ocasión.

Guiso de marisco con chile

1 cucharada de aceite de oliva
1 cebolla pequeña, troceada
1 diente de ajo picado
una pizca de semillas de hinojo o un chorrito de anís Pernod o Ricard (no es indispensable, pero da aroma)
una pizca de chile en polvo
una pizca muy pequeña de azafrán
5 patatas nuevas a rodajas
125 ml de vino blanco
1 lata de 220 g de tomates troceados
1/4 de pastilla de caldo de pescado
200 g de surtido de marisco congelado, descongelado
un puñado de perejil picado
pan crujiente para acompañar

1 hora-1 hora y 10 minutos • 1 ración

1 Calentar el aceite de oliva en una cacerola mediana y freír la cebolla a fuego lento durante 7-10 minutos, removiendo de vez en cuando, hasta que esté muy blanda y dorada. Incorporar el ajo, el hinojo (si se utiliza), el chile, el azafrán y las patatas, y proseguir la cocción durante un par de minutos, sin dejar de remover.

2 Añadir el vino y el anís (si se utiliza) a la cazuela y dejar cocer a fuego lento durante un par de minutos. Agregar los tomates y un par de latas llenas de agua. Desleír la cuarta parte de la pastilla de caldo, sazonar, mezclar y dejar cocer a fuego lento sin tapar durante 35 minutos.

3 Incorporar el surtido de marisco y dejar cocer durante 3-4 minutos. Espolvorear el perejil y servir directamente, acompañado de pan crujiente para mojar.

• Cada ración contiene: 524 kilocalorías, 43 g de proteínas, 36 g de hidratos de carbono, 15 g de grasas, 2 g de grasas saturadas, 5 g de fibra, 0 azúcar añadido, 1,73 g de sal.

El yogur picante es irresistible con el salmón pero también combina a la perfección con el cordero.

Salmón picante con crema de cilantro

1 kg de patatas, peladas y cortadas a dados
2 cucharaditas de crema tikka o tandoori
200 g de yogur griego
3 filetes de salmón
25 g de mantequilla
1/2 cucharadita de chile en polvo
un puñado de cilantro fresco picado
4 cucharadas de leche
tomates asados como guarnición

25-35 minutos • 4 raciones

1 Hervir las patatas durante 12 minutos hasta que estén blandas. Precalentar el gratinador. Mezclar la crema picante con 4 cucharadas de yogur y esparcir la mezcla sobre el salmón. Colocar el salmón en una bandeja de horno, con la piel hacia arriba, y gratinar durante 10 minutos.

2 Escurrir las patatas y volver a introducirlas en la cazuela. Añadir el resto del yogur, la mantequilla, el chile, el cilantro y la leche. Aplastar todos los ingredientes a mano o con la batidora eléctrica para obtener una textura cremosa, añadiendo un poco de leche si es preciso. Repartir en los platos, colocar encima el salmón y aliñar con los jugos de cocción. Servir con tomates asados.

• Cada ración contiene: 493 kilocalorías, 33 g de proteínas, 39 g de hidratos de carbono, 25 g de grasas, 9 g de grasas saturadas, 3 g de fibra, 0 azúcar añadido, 0,51 g de sal.

En los supermercados pueden encontrarse surtidos de verduras congeladas: guisantes, zanahorias, judías verdes y pimiento rojo.

Biriyani vegetal rápido

250 g de arroz basmati
400 g de verduras congeladas surtidas
un puñado abundante de uvas pasas
1 pastilla de caldo de verduras
2 cucharadas de crema de curry korma
un puñado de anacardos tostados y salados

20 minutos • 4 raciones

1 Poner el arroz, la verdura congelada y las uvas pasas en un recipiente apto para microondas. Verter 600 ml de agua caliente y desmenuzar la pastilla de caldo. Finalmente, incorporar la crema de curry. Tapar el recipiente con film adhesivo dejando un pequeño espacio en uno de los extremos para que salga el vapor. Cocer en el microondas a potencia elevada durante 12 minutos.

2 Retirar del microondas y dejar reposar todavía tapado durante 5 minutos más para completar la cocción (de lo contrario, el arroz estaría duro). Remover bien, añadir los anacardos y servir.

• Cada ración contiene: 305 kilocalorías, 9 g de proteínas, 57 g de hidratos de carbono, 6 g de grasas, 0 grasas saturadas, 2 g de fibra, 0 azúcar añadido, 1,42 g de sal.

Un plato sencillo, con ingredientes siempre presentes en cualquier despensa, que resulta delicioso con una guarnición de ensalada o guisantes.

Gratinado de tomate con queso a la mostaza

225 g de hojas de espinacas
6 huevos
425 ml de leche
1 cucharada de mostaza inglesa en polvo
220 g de pan (unas 3 rebanadas)
200 g de queso cheddar curado vegetariano
4 racimos de tomates cereza

45 minutos-1 hora • 4 raciones

1 Precalentar el horno a 190°C/gas 5/convección 170°C y untar con mantequilla un molde de 2 litros. Colocar las espinacas en un colador y verter sobre ellas una jarra de agua hirviendo. Dejar reposar mientras se prepara la base de queso.

2 Cascar los huevos en el recipiente del robot de cocina, incorporar la leche, la mostaza y una cucharadita de sal. Añadir el pan desmigado, sin retirar las cortezas, y triturar hasta que forme una pasta. Verter en un cuenco más grande y rallar las tres cuartas partes del queso.

3 Apretar las espinacas para escurrirlas bien y agregarlas a la mezcla de queso. Rallar el resto del queso, decorar con los racimos de tomates y cocer al horno durante 30-35 minutos hasta que esté dorado. Dejar reposar un poco antes de servir.

• Cada ración contiene: 542 kilocalorías, 35 g de proteínas, 32 g de hidratos de carbono, 32 g de grasas, 15 g de grasas saturadas, 2 g de fibra, 0 azúcar añadido, 2,18 g de sal.

Las sobras de curry están deliciosas al día siguiente. Este curry combina a la perfección con pan indio naan o chapatti.

Curry sencillo de lentejas

2 cucharadas de aceite de girasol
2 cebollas medianas, cortadas a trozos grandes
4 cucharadas de crema de curry
850 ml de caldo vegetal
750 g de verduras congeladas para saltear
100 g de lentejas rojas
200 g de arroz basmati
1/4 de cucharadita de cúrcuma
un puñado de uvas pasas y un poco de perejil troceado
tortas indias y chutney de mango como guarnición

40-50 minutos • 4 raciones

1 Calentar el aceite en una sartén grande. Añadir las cebollas y sofreírlas a fuego fuerte durante 8 minutos o hasta que estén doradas. Incorporar el curry y dejar cocer durante un minuto. Añadir lentamente un poco de caldo para diluir, evitando que se formen grumos. Agregar gradualmente el resto del caldo.
2 Incorporar las verduras congeladas, tapar y cocer a fuego lento durante 5 minutos. Añadir las lentejas y cocer durante 15-20 minutos más o hasta que las verduras y las lentejas estén al punto.
3 Mientras tanto, hervir el arroz de acuerdo con las instrucciones del envase, añadiendo la cúrcuma al agua. Escurrir bien.
4 Sazonar el curry con sal, agregar las uvas pasas y el perejil y servir con el arroz, las tortas indias y el chutney como guarnición.

• Cada ración contiene: 432 kilocalorías, 14 g de proteínas, 76 g de hidratos de carbono, 10 g de grasas, 1 g de grasas saturadas, 6 g de fibra, 0 azúcar añadido, 1,38 g de sal.

Una idea genial para una cena extraordinariamente baja en grasas. Una vez preparado, este pastel puede conservarse en el congelador durante un mes.

Pastel de patata y berenjena al curry

1 kg de patatas peladas y cortadas en trozos de 3 cm
1 cucharada de aceite de oliva
1 cebolla grande troceada
2 dientes de ajo grandes picados
2 berenjenas grandes, cortadas a dados de 3 cm
1 cucharada mediana de polvo de curry
400 g de tomates troceados en conserva
2 cucharadas de puré de tomate
410 g de lentejas cocidas, escurridas
ensalada o verdura como guarnición

1 hora-1 hora y 10 minutos
• 4 raciones

1 Hervir las patatas en agua ligeramente salada durante 15-20 minutos hasta que estén tiernas. Escurrirlas.
2 Mientras tanto, calentar el aceite en una sartén grande y sofreír la cebolla y el ajo hasta que estén dorados. Retirar dos cucharadas de la mezcla de cebolla y ajo y reservar. Precalentar el horno a 220ºC/gas 7/convección 200ºC.
3 Sofreír las berenjenas con las cebollas durante 6-8 minutos. Añadir el curry en polvo y cocer, removiendo, durante 1 minuto. Agregar los tomates troceados, el puré de tomate y las lentejas, y cocer durante 2 minutos. Verter la mezcla en una bandeja de 2 litros y repartir las patatas en la capa superior.
4 Esparcir por encima la cebolla reservada anteriormente y hornear durante 35 minutos. Servir acompañado de verduras o ensalada.

• Cada ración contiene: 301 kilocalorías, 13 g de proteínas, 55 g de hidratos de carbono, 5 g de grasas, 1 g de grasas saturadas, 11 g de fibra, 0 azúcar añadido, 1,15 g de sal.

Esta refrescante ensalada vegana es un plato perfecto para los días calurosos de verano. Puede ser una parte de un bufet veraniego.

Ensalada picante de tomate y judías

- 420 g de judías cocidas, escurridas y lavadas
- 500 g de tomates cereza, a cuartos
- 2 calabacines pequeños (unos 300 g en total) cortados a dados
- 1 cebolla roja pequeña, cortada
- 15-20 g de cilantro fresco cortado
- 2 cucharadas de zumo de limón
- 3 cucharadas de aceite de oliva
- 1 cucharadita de comino en polvo

15-20 minutos • 6-8 raciones

1 Mezclar todos los ingredientes en una fuente con una pizca de sal y pimienta. Tapar y dejar a temperatura ambiente hasta el momento de servir. Esta ensalada puede prepararse el día anterior y conservarse en el frigorífico.

2 Antes de servir, esperar que la ensalada esté a temperatura ambiente y remover bien.

• Cada ración (6 porciones) contiene: 109 kilocalorías, 4 g de proteínas, 9 g de hidratos de carbono, 6 g de grasas, 1 g de grasas saturadas, 3 g de fibra, 0 azúcar añadido, 0,41 g de sal.

Las patatas absorben los aromas y son especialmente ricas con un simple curry de tubérculos y lentejas.

Guiso picante de tubérculos con lentejas

2 cucharadas de aceite de girasol o vegetal
1 cebolla troceada
2 dientes de ajo, picados
700 g de patatas peladas y cortadas a dados
4 zanahorias, a rodajas
2 nabos, a rodajas
2 cucharadas de curry en crema o en polvo
1 litro de caldo vegetal
100 g de lentejas
un puñado de cilantro fresco, troceado
yogur desnatado y pan indio naan para acompañar

35-45 minutos • 4 raciones

1 Calentar el aceite en una cacerola grande y sofreír la cebolla y el ajo a fuego medio durante 3-4 minutos, removiendo de vez en cuando. Añadir las patatas, las zanahorias y los nabos, subir el fuego y cocer durante 6-7 minutos, removiendo, hasta que todo esté dorado.
2 Agregar el curry en crema o en polvo, verter el caldo y llevar a ebullición. Reducir el fuego, incorporar las lentejas, tapar y dejar cocer a fuego lento durante 15-20 minutos, hasta que las lentejas y las hortalizas estén tiernas y la salsa haya espesado.
3 Espolvorear con la mayor parte del cilantro, salpimentar y calentar apenas un minuto. Decorar con el yogur y el resto del cilantro. Servir acompañado de pan indio naan.

• Cada ración contiene: 378 kilocalorías, 14 g de proteínas, 64 g de hidratos de carbono, 9 g de grasas, 1 g de grasas saturadas, 10 g de fibra, 0 azúcar añadido, 1,24 g de sal.

El queso feta y el cilantro dan un toque de frescor a los tacos mexicanos y convierten una comida rápida en algo especial, rebosante de sabor.

Tacos de feta con guacamole

2 cucharadas de aceite de oliva
2 cebollas rojas medianas, cortadas
1 cucharadita de semillas de comino
430 g de frijoles refritos en conserva
10 tomates cherry
cilantro fresco
200 g de queso feta
2 tortillas pequeñas de harina
100 g de lechuga iceberg
2 frascos de 130 g de guacamole preparado
8 aceitunas negras, opcional

10 minutos • 4 raciones

1 Precalentar el horno a una temperatura de 190ºC/gas 5/convección 170ºC. Calentar el aceite en una sartén y sofreír la cebolla y el comino.
2 Añadir los frijoles a la sartén con las cebollas para que se vayan calentando. Partir los tomates por la mitad, trocear el cilantro y el queso feta. Agregarlos a la sartén y remover suavemente hasta que empiece a burbujear.
3 Colocar las tortillas directamente en la bandeja del horno y calentar durante 1-2 minutos. Animar a cada comensal a preparar sus propios tacos. Colocar un poco de lechuga en cada taco y agregar una cucharada de la mezcla picante de feta y frijoles. Completar con una cucharada de guacamole y una aceituna. Envolver y comer con los dedos.

• Cada ración contiene: 528 kilocalorías, 21 g de proteínas, 56 g de hidratos de carbono, 26 g de grasas, 8 g de grasas saturadas, 4 g de fibra, 0 azúcar añadido, 3,6 g sal.

Para este tajín picante al estilo marroquí se puede utilizar cualquier combinación de verduras de temporada.

Tajín de garbanzos con verduras

3 cucharadas de aceite de oliva
1 cebolla grande, cortada
2 dientes de ajo picados
25 cm de jengibre fresco, rallado
dos pizcas de azafrán
2 cucharaditas de semillas de comino
1 rama de canela
1-2 cucharaditas de salsa harissa
2 patatas medianas y 2 nabos pelados y cortados a dados
3 zanahorias medianas, peladas y cortadas a dados
4 tallos de apio, cortados a rodajas
2 puerros medianos, cortados a rodajas
400 g de tomates troceados en conserva
600 ml de caldo vegetal
1 frasco de 400 g de garbanzos, escurridos
cuscús cocido y hojas de menta fresca o de perejil para acompañar

1 hora y 30 minutos-1 hora y 45 minutos • 4 raciones

1 Calentar el aceite en una cazuela grande y freír la cebolla, el ajo y el jengibre durante 5 minutos. Picar en el mortero el azafrán y el comino, añadir a la cazuela y sofreír durante un minuto más. Incorporar la rama de canela y la salsa harissa. Salpimentar.

2 Agregar las verduras y remover para que se impregnen de la mezcla de especias. Añadir los tomates, su jugo y el caldo de verduras. Cuando arranque el hervor, bajar el fuego y dejar cocer durante 50 minutos-1 hora.

3 Cuando las verduras estén cocidas, añadir los garbanzos, sazonar al gusto y dejar cocer durante unos minutos para que se calienten. Servir acompañado de cuscús y espolvoreado con la menta o el perejil.

• Cada ración contiene: 305 kilocalorías, 11 g de proteínas, 40 g de hidratos de carbono, 12 g de grasas, 1 g de grasas saturadas, 10 g de fibra, 0 azúcar añadido, 1,2 g de sal.

Esta pizza ofrece una propuesta distinta para los vegetarianos. Se recomienda utilizar una base de pizza de textura suave y crujiente.

Pizza picante a la florentina

base de pizza preparada de 30 cm
6 cucharadas colmadas de salsa de tomate con chile
175 g de hojas de espinacas lavadas
100 g de champiñones en conserva
50 g de queso parmesano rallado
4 huevos

30 minutos • 4 raciones

1 Precalentar el horno a 200ºC/gas 6/convección 180ºC. Colocar la base de pizza en una bandeja de horno y esparcir la salsa sobre su superficie.
2 Hervir las espinacas en una cazuela tapada durante 2-3 minutos. Escurrirlas y esparcirlas sobre la base de pizza. Sacar los champiñones del tarro con un tenedor y esparcirlos sobre la pizza. Sazonar y espolvorear con el queso parmesano. Cocer al horno durante 10 minutos.
3 Formar cuatro huecos en las espinacas con una cuchara, y cascar un huevo en cada uno. Espolvorear con el resto de parmesano y hornear durante 6-8 minutos, hasta que los huevos estén cuajados.

• Cada ración contiene: 265 kilocalorías, 15 g de proteínas, 22 g de hidratos de carbono, 13 g de grasas, 5 g de grasas saturadas, 2 g de fibra, 0 azúcar añadido, 1,62 g de sal.

Este potaje es una explosión de dulces sabores. El caldo vegetal en polvo le dará un toque más sutil que el de pastilla.

Potaje exótico de calabaza y judías

2 cucharadas de aceite vegetal
1 cebolla grande, troceada
1 calabaza de unos 900 g
2 cucharaditas de azúcar mascabado
400 ml de leche de coco
225 ml de caldo vegetal
dos pizcas de chile molido
410 g de judías cocidas, escurridas y lavadas
la ralladura de una lima
un puñado de cilantro fresco

PARA LA GUARNICIÓN
100 g de arroz basmati o tailandés cocido
unos cuantos anacardos tostados con sal troceados o picados

35-45 minutos • 4 raciones

1 Calentar el aceite en una sartén grande y sofreír la cebolla hasta que esté dorada. Mientras tanto, cortar la calabaza y retirar las semillas. Pelarla y cortar la pulpa a dados. Ponerla en la sartén junto con el azúcar y freír varios minutos hasta que esté caramelizada.
2 Incorporar la leche de coco, el caldo y el chile. Dejar cocer a fuego moderado, sin tapar, durante 20 minutos, hasta que la calabaza esté tierna.
3 Añadir las judías y dejar que se calienten. Agregar la ralladura de lima y el cilantro y sazonar al gusto con una pizca de sal.
4 Colocar una cucharada de arroz en cada cuenco y servir la sopa sobre el arroz. Esparcir los anacardos y servir.

• Cada ración contiene: 363 kilocalorías, 8 g de proteínas, 35 g de hidratos de carbono, 22 g de grasas, 15 g de grasas saturadas, 7 g de fibra, 3 g de azúcar añadido, 1,13 g de sal.

Los frutos secos, la menta fresca y las especias dan un toque de sabor a este típico plato de la cocina del norte de África.

Carne vegetariana picante con cuscús

2 cucharadas de aceite de girasol
2 cebollas medianas, cortadas
350 g de quorn (carne vegetariana)
1 cucharada de comino en polvo
1 cucharadita de canela
2 cucharaditas de cúrcuma en polvo
100 g de orejones de albaricoque
600 ml de caldo vegetal
50 g de anacardos tostados a la parrilla sin sal

PARA EL CUSCÚS
280 g de cuscús
la ralladura de la corteza de 2 limones
4 cucharadas de menta fresca troceada

35-40 minutos • 4 raciones

1 Calentar el aceite en una sartén grande antiadherente, añadir las cebollas y sofreír a fuego moderado durante 5 minutos. Agregar el quorn y a continuación los orejones y el caldo. Cuando hierva, bajar el fuego y cocer a fuego suave durante 10-15 minutos.

2 Mientras tanto preparar el cuscús siguiendo las instrucciones del envase (se necesitarán unos 450 ml de agua hirviendo para darle la textura adecuada). Añadir la ralladura de limón y la menta. Sazonar al gusto.

3 Repartir el cuscús en los platos, colocar la mezcla de quorn encima y espolvorear los anacardos.

• Cada ración contiene: 497 kilocalorías, 24 g de proteínas, 67 g de hidratos de carbono, 16 g de grasas, 2 g de grasas saturadas, 9 g de fibra, 0 azúcar añadido, 1,21 g de sal.

Servir este pudin de pan y mantequilla, con su irresistible sabor a nueces y canela, con un poco de nata líquida para mojarlo.

Pudin de pan y mantequilla con uvas

50 g de mantequilla ligera, y un poco más para engrasar el molde
400 g de pan de pasas con la corteza
750 ml de leche
142 ml de nata para montar
la ralladura de 1 limón
4 huevos
50 g de azúcar lustre
2 cucharadas de coñac o 1 cucharadita de extracto de vainilla

PARA DECORAR
2 cucharadas de azúcar moreno
2 cucharadas de nueces picadas
1 cucharadita de canela en polvo

1 hora y 15 minutos-1 hora y 20 minutos • 6 raciones

1 Untar con mantequilla un molde de horno de 2 litros. Untar las rebanadas de pan de pasas con mantequilla. Partir las rebanadas en diagonal.
2 Colocar la leche, la nata y la ralladura de limón en una cazuela. Calentar suavemente hasta que llegue a hervir y esperar hasta que esté tibio.
3 Batir los huevos con el azúcar. Añadir el coñac o la vainilla y la leche tibia. Repartir la mitad del pan sobre la base del molde. Verter la mitad de la mezcla de leche. Formar una nueva capa de pan y leche. Dejar que se empape durante 15 minutos. Precalentar el horno a 180ºC/gas 4/ convección 160ºC.
4 Mezclar los ingredientes para decorar y esparcirlos sobre el pudin. Hornear durante 40-45 minutos hasta que esté dorado y cuajado. Dejar enfriar 5 minutos antes de servir.

• Cada ración contiene: 579 kilocalorías, 16 g de proteínas, 57 g de hidratos de carbono, 32 g de grasas, 15 g de grasas saturadas, 0 fibra, 2,4 g de azúcar añadido, 1,03 g de sal.

La textura aterciopelada de la nata de coco es ideal para un delicioso helado apto para las personas que no toman leche.

Helado de piña y coco

1 piña grande y 1 mediana
el zumo de 3 limas
75 g de azúcar glas tamizado
200 ml de nata de coco

PARA EL ALMÍBAR
100 g de azúcar glas
1 rama de canela, a trozos
hojas de menta para servir

40 minutos, más el tiempo para congelar • 6 raciones

1 Pelar la piña grande, cortarla por la mitad y a continuación a cuartos. Quitarle el corazón. Cortar la pulpa y triturarla con un robot de cocina para formar un puré. Introducirlo en un bol con el zumo de lima, el azúcar y la nata de coco. Remover. Introducir en el congelador durante 2-3 horas. Remover para deshacer los cristales de hielo y volver a congelar hasta que esté firme.
2 Mientras tanto, pelar, quitar el corazón y cortar la otra piña. Disolver en un cazo el azúcar con dos cucharadas de agua. Incorporar la canela y hervir hasta que forme un almíbar. Añadir las rodajas de piña y dejar hervir un par de minutos. Enfriar.
3 Pasar el helado al frigorífico 30 minutos antes de servir. Acompañarlo con las rodajas de piña cocidas y el almíbar, decorado con hojas de menta y la canela.

• Cada ración contiene: 397 kilocalorías, 2 g de proteínas, 75 g de hidratos de carbono, 12 g de grasas, 10 g de grasas saturadas, 3 g de fibra, 48 g de azúcar añadido, trazas de sal.

Un cobbler sorprendentemente ligero y esponjoso. Toda una tentación para los almuerzos de domingo en grupo.

Cobbler de ciruelas y manzanas con canela

750 g de manzanas cocidas, peladas, sin corazón y troceadas
el zumo de 1 limón
100 g de azúcar lustre
350 g de ciruelas maduras, partidas por la mitad, deshuesadas y troceadas

PARA EL COBBLER
100 g de harina con levadura
1 cucharadita de canela
50 g de mantequilla a dados
20 g de azúcar lustre
1 huevo batido
4 cucharadas de leche
50 g de nueces troceadas

50 minutos-1 hora • 4 raciones

1 Precalentar el horno a 180ºC/gas 4/convección 160ºC. Untar con mantequilla un molde de tarta de 1,5 litros.
2 Colocar las manzanas en una cazuela con el zumo de limón, el azúcar y una cucharada de agua. Cuando hierva, tapar y cocer a fuego moderado durante 5 minutos. Agregar las ciruelas y dejar cocer 5 minutos más.
3 Verter la fruta en el molde. Colocar en un cuenco la canela, añadir la mantequilla y amasar con los dedos. Incorporar el azúcar y después el huevo y la leche. Mezclar hasta obtener una masa fina (puede utilizarse un robot de cocina).
4 Echar cucharadas grandes de masa sobre la fruta. Esparcir las nueces. Hornear durante 25-30 minutos hasta que la parte superior esté dorada y crujiente.

• Cada ración contiene: 556 kilocalorías, 8 g proteínas, 90 g de hidratos de carbono, 21 g de grasas, 8 g de grasas saturadas, 6 g de fibra, 37 g de azúcar añadido, 0,3 g de sal.

Estas esponjosas tabletas de muesli son una práctica opción como tentempié tanto en casa como fuera.

Barritas de muesli

175 g de mantequilla
140 g de miel
250 g de azúcar moreno
250 g de copos de avena
1 1/2cucharada de canela en polvo
85 g de nueces o de nueces pacanas
85 g de uvas pasas
85 g de papaya o mango seco, troceado
85 g de orejones de albaricoque, troceados
85 g de semillas de calabaza
50 g de almendra en grano
50 g de semillas de sésamo

35 minutos • 9 barritas

1 Precalentar el horno a 190ºC/gas 5/convección 170ºC. Forrar la base de una bandeja para el horno de 23 cm de largo y 5 cm de hondo. Mezclar la mantequilla con la miel y añadir el azúcar.
2 Dejar cocer a fuego lento durante 5 minutos hasta que el azúcar se haya disuelto. Llevar a ebullición, dejar hervir durante 1-2 minutos, removiendo, hasta que forme una salsa espesa.
3 Mezclar el resto de los ingredientes y verter la salsa. Mezclar bien.
4 Verter en el molde y presionar con la parte trasera de una cuchara templada y mojada. Hornear durante 15 minutos hasta que los extremos empiecen a dorarse. Dejar enfriar un poco. Pasar el filo de un cuchillo por los bordes del molde. Darle la vuelta y retirar el film. Enfriar y cortar en nueve porciones.

• Cada ración contiene: 696 kilocalorías, 11 g de proteínas, 85 g de hidratos de carbono, 37 g de grasas, 12 g de grasas saturadas, 6 g de fibra, 41 g de azúcar añadido, 0,06 g sal.

Este helado de original sabor es un postre de gusto sorprendente y elegante.

Helado de jengibre

6 merengues individuales preparados
425 ml de nata para montar
la ralladura de 1 limón
3 cucharadas de kirsch
2 cucharadas de azúcar moreno
4 trozos de tallo de jengibre en almíbar, finamente troceado

20 minutos, más el necesario para congelarlo • 6 raciones

1 Cubrir un molde de tarta de 18 cm de diámetro con film adherente. Trocear los merengues. Batir la nata hasta que tome consistencia e incorporar la ralladura de limón, el kirsch, el azúcar, el jengibre y los trozos de merengue.

2 Verter en el molde, nivelar la parte superior e introducir en el congelador durante 4 horas como mínimo.

3 Retirar del molde 10 minutos antes de servir. Cortar en forma de cuña y verter por encima el almíbar de la conserva de jengibre.

• Cada ración contiene: 333 kilocalorías, 2 g de proteínas, 22 g de hidratos de carbono, 26 g de grasas, 16 g de grasas saturadas, 0 fibra, 19 g de azúcar añadido, 0,54 g de sal.

Una versión sana de uno de los púdines más conocidos. Este muesli sin apenas grasas ni azúcar añadido resulta excelente para diabéticos.

Crumble de manzana con jengibre

800 g de manzanas peladas, sin corazón y cortadas a láminas
200 ml de zumo de mango y piña sin azúcar
1 tallo de jengibre en almíbar, troceado, y 1 cucharada del almíbar
yogur griego desnatado o yogur natural desnatado como guarnición

PARA LA COBERTURA
100 g de harina integral
85 g de margarina de aceite de oliva (59 % de grasa vegetal)
100 g de muesli integral sin azúcar ni sal añadidos
3 cucharadas de azúcar mascabado light
25 g de pipas de girasol

1 hora-1 hora y 30 minutos • 5-6 raciones

1 Precalentar el horno a 190ºC/gas 5/convección 170ºC. Colocar las manzanas en un molde de tarta de 1,5 litros. Verter el zumo de fruta, añadir el jengibre y una cucharada de su almíbar y remover.
2 Para preparar la cobertura, colocar la harina en un recipiente grande. Agregar la margarina de aceite de oliva y desmenuzarla utilizando un cuchillo de punta redonda, para que quede repartida por toda la harina. Añadir el muesli, el azúcar y las pipas de girasol, esparcirlo sobre las manzanas hasta cubrirlas.
3 Hornear durante 40-45 minutos hasta que la cobertura esté dorada y crujiente. Dejar enfriar durante 5-10 minutos antes de servir acompañado de yogur griego o natural desnatado.

• Cada ración contiene: 380 kilocalorías, 6 g de proteínas, 58 g de hidratos de carbono, 15 g de grasas, 3 g de grasas saturadas, 6 g de fibra, 11 g de azúcar añadido, 0,46 g de sal.

La combinación de melón con jengibre puede considerarse un clásico, pero si se añaden fresones el resultado es delicioso.

Postre de fresones, melón y jengibre

1/2 melón de cantalupo (de unos 350 g) pelado, sin semillas y cortado a dados
250 g de fresones, limpios y cortados a láminas
4 galletas de jengibre, troceadas
2 tallos de jengibre en almíbar (unos 25 g) y 2 cucharadas del almíbar
2 envases de 150 g de yogur griego desnatado
4 cucharadita de azúcar mascabado light

15-25 minutos • 4 raciones

1 Mezclar cuidadosamente el melón con los fresones en un cuenco grande. Repartir la mitad de la fruta en cuatro copas de cristal. Espolvorear con la mitad de la galleta.
2 Mezclar el jengibre troceado y el almíbar con el yogur y colocar la mezcla en las copas. Esparcir por encima el resto de la fruta y las galletas.
3 Espolvorear una cucharadita de azúcar mascabado sobre cada copa y conservar en frío hasta el momento de servir (puede prepararse hasta con 2 horas de antelación). El azúcar se irá fundiendo y dará un sabor delicioso de caramelo.
4 Sacar las copas del frigorífico unos 15 minutos antes de servir el postre, para que no esté demasiado frío.

• Cada ración contiene: 168 kilocalorías, 8,9 g de proteínas, 30 g de hidratos de carbono, 2,2 g de grasas, 0,6 g de grasas saturadas, 1,5 g de fibra, 10,3 de azúcar añadido, 0,4 g de sal.

Una tarta de merengue y helado cocida al horno, con un toque de jengibre.

Pudin de jengibre al horno

225 g de piña en su jugo
1 tarta Jamaica de jengibre, cortada a capas horizontales
3 claras de huevo
175 g de azúcar mascabado light
500 ml de helado de vainilla

20 minutos • 4 raciones

1 Precalentar el horno a 220ºC/gas 7/convección 200ºC. Escurrir la piña y reservar 3 cucharadas de jugo. Cubrir el fondo de un molde rectangular con las capas de tarta. Esparcir por encima la piña y su jugo.
2 Montar las claras de huevo e ir añadiendo el azúcar de cucharada en cucharada, removiendo bien para que quede un merengue espeso y brillante.
3 Extender el helado de vainilla sobre la capa de piña. Cubrirlo todo con el merengue y formar algunas ondas en la superficie con un tenedor. Hornear durante 5 minutos hasta que esté dorado. Servir inmediatamente.

• Cada ración contiene: 484 kilocalorías, 9 g de proteínas, 85 g de hidratos de carbono, 14 g de grasas, 7 g de grasas saturadas, 1 g de fibra, 59 g de azúcar añadido, 0,53 g de sal.

Ideales para acompañar una taza de té o para una merienda veraniega al aire libre. Además, pueden conservarse en el frigorífico hasta cinco días.

Cuadrados de albaricoque

175 g de harina
140 g de azúcar mascabado light
140 g de mantequilla, blanda
1 cucharadita de canela en polvo
azúcar glas para espolvorear

PARA LA TARTA
175 g de mantequilla, blanda
200 g de azúcar lustre
3 huevos
175 g de harina
1 cucharadita de levadura en polvo
2-3 cucharadas de leche
8 albaricoques, cortados a cuartos (o albaricoques en su jugo)

1 hora y 15 minutos • 16 cuadrados

1 Precalentar el horno a 180ºC/gas 4/convección 160ºC. Untar con mantequilla un molde rectangular de 22 cm. Introducir la harina, el azúcar, la mantequilla y la canela en un robot de cocina con 1/4 cucharadita de sal y mezclar hasta obtener una pasta.
2 Con una batidora eléctrica o una cuchara de madera, mezclar los ingredientes de la tarta, excepto la leche y los albaricoques. Añadir lentamente la leche necesaria para obtener una textura cremosa que se despegue de la cuchara. Verter en el molde con los albaricoques, cubrir con la pasta anterior y presionar.
3 Hornear durante 45-50 minutos hasta que esté dorado y al pincharlo con un cuchillo este salga limpio. Dejar enfriar, cortar en 16 porciones cuadradas y espolvorear con azúcar glas.

• Cada ración contiene: 332 kilocalorías, 4 g de proteínas, 42 g de hidratos de carbono, 18 g de grasas, 11 g de grasas saturadas, 1 g de fibra, 22 g de azúcar añadido, 0,52 g de sal.

Un rico broche final para una comida de domingo y una forma deliciosa de cocinar el ruibarbo.

Tarta Streusel de ruibarbo

500 g de pasta quebrada, descongelada si es el caso
1 kg de ruibarbo, limpio, o bien 750 g de ruibarbo preparado
3 cucharadas casi colmadas de harina
85 g de azúcar lustre
helado de nata o de vainilla, para acompañar

PARA LA COBERTURA
85 g de harina
1 cucharadita de canela en polvo
50 g de azúcar moreno
50 g de nueces troceadas
50 g de mantequilla, cortada a trocitos

1 hora-1 hora y 15 minutos • 6-8 raciones

1 Desenrollar la pasta y cubrir con ella el fondo de un molde de 23 cm de diámetro. Cortar el ruibarbo en trozos de 3 cm e introducirlo en un recipiente con la harina y el azúcar. Remover y verter la mezcla sobre la pasta.
2 Para preparar la cobertura, mezclar la harina, la canela, el azúcar y las nueces. Agregar la mantequilla y amasar con los dedos hasta que la mezcla tenga un aspecto de migas. Espolvorear por encima del ruibarbo. Dejar reposar durante 6 horas, hasta que esté listo para hornear.
3 Precalentar el horno a 190ºC/gas 5/convección 170ºC. Hornear durante 40-45 minutos hasta que el exterior esté dorado y el ruibarbo esté blando (comprobarlo pinchando hasta llegar a un trozo de fruta). Servir templado o frío acompañado con helado de vainilla o de nata.

• Cada ración contiene (6 porciones): 665 kilocalorías, 8 g de proteínas, 81 g de hidratos de carbono, 36 g de grasas, 15 g de grasas saturadas, 5 g de fibra, 24 g de azúcar añadido, 0,51 g de sal.

En los supermercados se pueden encontrar coulis de grosella preparados en la sección de helados o en la de conservas de fruta.

Trifle de manzana y avena

100 g de copos de avena
1 cucharadita de mezcla de especias
50 g de azúcar mascabado light
50 g de mantequilla

PARA EL RELLENO
7-8 manzanas rojas, según el tamaño
25 g de mantequilla
25 g de azúcar lustre
2 cucharadas de coulis de grosella
500 g de natillas
285 ml de nata para montar

25-30 minutos, más el tiempo necesario para enfriar • 6 raciones

1 Mezclar los copos de avena, las especias y el azúcar. Fundir la mantequilla en una sartén, añadir la mezcla anterior y freír durante 5 minutos.
2 Pelar las manzanas, quitarles el corazón y cortarlas a láminas. Deshacer la mantequilla para el relleno en una sartén, agregar las manzanas y freírlas a fuego intenso. Espolvorear el azúcar y dejar cocer durante 2-3 minutos más, hasta que las manzanas estén un poco blandas. Dejar enfriar.
3 Colocar la mitad de las manzanas y un poco menos de la mitad de los copos de avena en una copa de cristal. Repetir la misma operación, reservando un poco de avena. Verter el coulis y las natillas. Batir la nata hasta que tome consistencia y cubrir las natillas con ella. Espolvorear con los copos reservados y servir.

• Cada ración contiene: 573 kilocalorías, 6 g de proteínas, 54 g de hidratos de carbono, 38 g de grasas, 23 g de grasas saturadas, 3 g de fibra, 21 g de azúcar añadido, 0,3 g de sal.

Índice

aguacates
- aguacate con atún y aliño de especias 36-37
- ensalada de pollo 136-137
- escabeche de gambas y aguacate 24-25

albaricoques
- cordero con orejones, almendras y menta 118-19
- cuadrados de albaricoque 206-7
- pollo con albaricoque dulce y picante 86-87

albóndigas
- albóndigas a la mostaza con espaguetis 66-67

arroz
- arroz aromático indio 58-59
- arroz de lunes 72
- arroz oriental con huevo frito 62-63
- arroz picante con langostinos 82-83
- biriyani vegetal rápido 168-169
- cocido mexicano 92-93
- jambalaya fácil y rápida 70-71
- pollo cajún con arroz de piña 108-109
- pollo jerk con arroz y frijoles 120-121

atún
- aguacate con atún y aliño de especias 36-37
- atún a la parrilla con ensalada picante de judías 148-149
- ensalada de patata, atún y rábano picante 142-143
- empanada picante de atún y garbanzos 152-153
- pasta picante con atún y limón 64-65
- tostadas de atún con queso fundido y páprika 20-21

bacalao
- bacalao cremoso al minuto 150-151

barritas de muesli 196-197

beicon
- alubias con beicon ahumado y albahaca 50-51
- pudin de jengibre al horno 204-205
- salteado picante de hígado y beicon 88-89

berenjenas
- pastel de patata y berenjena al curry 174-175

biriyani vegetal rápido 168-169

caballa
- caballa picante con ensalada de naranja 162-163

cangrejo
- espaguetis con chile, cangrejo y limón 74-75

carne vegetariana picante con cuscús 188-189

cerdo
- cerdo aromático con soja 22-23
- cerdo chino preparado con antelación 126-127
- cocido mexicano 92-93
- pollo jerk con arroz y frijoles 120-121
- salteado de fideos y cerdo 54-55

champiñones
- champiñones con mostaza Stroganoff 38-39
- sopa oriental de ternera y champiñones 52-53

chile
- cordero al chile con cuscús 130-131
- espaguetis con chile, cangrejo y limón 74-75

espaguetis con chile, limón
y aceitunas 78-79
guiso de marisco con chile
164-165
tallarines con langostinos
y chile 60-61
tortilla de queso con chile
28-29
vieiras en salsa de tomate
con chile 160-161
chupito de satay 10-11
cobbler de ciruelas y manzanas
con canela 194-195
cocido mexicano 92-93
cordero
cordero al chile con cuscús
130-131
cordero con orejones,
almendras y menta
118-119
curry picante de cordero
96-97
pastel de polenta picante
106-107
crumble de manzana con jengibre
200-210
curry
curry de pollo y coco
con frutas 124-125
curry fácil tailandés 116-117
curry picante de cordero 96-97
curry sencillo de lentejas
172-173
cuscús
carne vegetariana picante
con cuscús 188-189
cordero al chile con cuscús
130-131

desayuno campesino dulce
y picante 44-45

eglefino con salsa de tomate
picante 154-155
ensaladas
atún a la parrilla con ensalada
picante de judías148-149
caballa picante con ensalada
de naranja 162-163
ensalada de gambas 30-31
ensalada de gambas y fideos
68-69
ensalada de langostinos
picante 156-157
ensalada de patata, atún
y rábano picante 142-143
ensalada de pavo cajún con
guacamole 14-15
ensalada de pollo 136-137
ensalada de pollo satay 104-150
ensalada picante de tomate
y judías 176-177
pollo oriental con ensalada
de melocotón 112-113
espaguetis véase *pasta*

fideos
ensalada de gambas y fideos
68-69
fideos con verduras de
primavera 76-77
pollo teriyaki con sopa de fideos
40-41
salteado de fideos y cerdo
54-55
filetes de pavo con cítricos
y jengibre 134-135

gambas
ensalada de gambas 30-31
escabeche de gambas
y aguacate 24-25
gambas con mayonesa
picante 144-145
garbanzos
empanada picante de atún
y garbanzos 152-153
tajín de garbanzos con verdura
182-183
goulash rápido 110-111
gratinado de tomate con queso
a la mostaza 170-171
guiso de marisco con chile
164-165

hamburguesas ligeras con rúcula
y pimientos 32-33
helado de jengibre 198-199
hígado
salteado de hígado con
pimientos rojos 100-101
salteado picante de hígado
y panceta 88-89
huevos
arroz oriental con huevo frito
62-63

jambalaya fácil y rápido 70-71
jengibre
crumble de manzana con
jengibre 200-201
filetes de pavo con cítricos
y jengibre 134-135
helado de jengibre 198-199
postre de fresones, melón
y jengibre 202-203

pudin de jengibre al horno 204-205
judías
atún a la parrilla con ensalada picante de judías 148-149
ensalada picante de tomate y judías 176-177
judías con beicon y albahaca 50-51
pollo jerk con arroz y frijoles 158-159
potaje de judías picante de Halloween 114-115
potaje exótico de calabaza y judías 186-187

langostinos
arroz picante con langostinos 82-83
cóctel picante de langostinos 48-49
ensalada de langostinos picante 156-157
tallarines con langostinos y chile 60-61
tortas indias con langostinos 18-19
lentejas
curry sencillo de lentejas 172-173
guiso picante de tubérculos con lentejas 178-179

maíz
sopa de maíz dulce y pollo chino 46-47
mango
salteado de pollo y mango 122-123
manzanas
cobbler de ciruelas y manzanas con canela 194-195
crumble de manzana con jengibre 200-201
trifle de manzana y avena 210-211
muslos de pollo picantes 128-129

nabo
salmón con crema de nabo a la mostaza 138-139

pasta
albóndigas a la mostaza con espaguetis 66-67
espaguetis con chile, cangrejo y limón 74-75
espaguetis con chile, limón y aceitunas 78-79
espaguetis con chorizo picante 84-85
pasta con tomate al ajo 56-57
pasta picante con atún y limón 64-65
tallarines con langostinos y chile 60-61
pastel de patata y berenjena al curry 174-175
patatas
ensalada de patata, atún y rábano picante 142-143
guiso picante de tubérculos con lentejas 178-179
pastel de patata y berenjena al curry 174-175
patatas asadas picantes 34-35
perrito caliente de patatas asadas con mostaza 26-27
salmón picante con crema de cilantro 166-167
pavo
ensalada de pavo cajún con guacamole 14-15
filetes de pavo con cítricos y jengibre 134-135
perrito caliente de patatas asadas con mostaza 26-27
pescado
pescado asado con patatas fritas al gusto picante 146-147
sopa de pescado apetitosa 140-141
véanse también los nombres de cada pescado
pimientos
hamburguesas ligeras con rúcula y pimientos 32-33
salteado de hígado con pimientos rojos 100-101
pinchos de pollo tikka 42-43
piña
helado de piña y coco 192-193
pollo cajún con arroz de piña 108-109
pizza picante a la florentina 184-185
polenta
pastel de polenta picante 106-107
pollo
curry de pollo y coco con frutas 124-125
curry fácil tailandés 116-117

chupito de satay 10-11
ensalada de pollo 136-137
ensalada de pollo satay 104-105
fuente de pollo crujiente 94-95
guiso de pollo picante 102-103
muslos de pollo picantes 128-129
pinchos de pollo tikka 42-43
pollo asiático en hatillo 80-81
pollo cajún con arroz de piña 108-109
pollo con albaricoque dulce y picante 86-87
pollo con anacardos y salsa hoisin 90-91
pollo jerk con arroz y frijoles 120-121
pollo oriental con ensalada de melocotón 112-113
pollo sureño picante 98-99
pollo teriyaki con sopa de fideos 40-41
salteado de pollo y mango 122-123
sopa de maíz dulce y pollo chino 46-47
postre de fresones, melón y jengibre 202-203
potaje exótico de calabaza y judías 186-187
pudin de pan y mantequilla con uvas 190-191

queso
gratinado de tomate con queso a la mostaza 170-171
tacos de feta con guacamole 180-181
tortilla de queso con chile 28-29
tostadas de atún con queso fundido y páprika 20-21

salmón
salmón con crema de nabo a la mostaza 138-139
salmón crujiente con crema de judías 158-159
salmón picante con crema de cilantro 166-167
sopas
sopa de maíz dulce y pollo chino 46-47
sopa de verduras con curry 12-13
sopa oriental de ternera y champiñones 52-53

tacos
tacos de feta con guacamole 180-181
tarta Streusel de ruibarbo 208-209
ternera
hamburguesas ligeras con rúcula y pimientos 32-33
pastel de polenta picante 106-107
sopa oriental de ternera y champiñones 52-53
ternera salteada con salsa hoisin 132-133
tortillas mexicanas con chile 16-17
tomates
eglefino con salsa de tomate picante 154-155
ensalada picante de tomate y judías 176-177
gratinado de tomate con queso a la mostaza 170-171
pasta con tomate al ajo 56-57
tortas indias con langostinos 18-19
tortillas mexicanas con chile 16-17
trifle de manzana y avena 210-211

verduras
fideos con verduras de primavera 76-77
guiso picante de tubérculos con lentejas 178-179
sopa de verduras con curry 12-13
tajín de garbanzos con verduras 182-183
vieiras en salsa de tomate con chile 160-161

Créditos de fotografías y recetas

BBC Worldwide quiere expresar su agradecimiento a las siguientes personas por haber proporcionado las fotografías de esta obra. Aunque nos hemos esforzado al máximo por rastrear y reconocer a todos los fotógrafos, quisiéramos pedir disculpas en caso de que haya cualquier error u omisión.

Marie-Louise Avery p. 17, p. 23, p. 35, p. 39, p. 117, p. 121; Iain Bagwell p. 105, p. 125, p. 157, p. 175; Steve Baxter p. 27, p. 65, p. 152, p. 207; Martin Brigdale p. 131; Ken Field p. 15, p. 83; David Munns p. 25, p. 45, p. 49, p. 97, p. 113, p. 165, p. 193, p. 197, p. 199; Myles New p. 59, p. 61, p. 63, p. 87, p. 201; Michael Paul p. 29; Craig Robertson p. 41, p. 99, p. 119, p. 133, p. 147; Howard Shooter p. 33, p. 43, p. 53, p. 137, p. 155, p. 163, p. 183, p. 203; Roger Stowell p. 11, p. 13, p. 19, p. 21, p. 37, p. 47, p. 51, p. 57, p. 67, p. 69, p. 71, p. 73, p. 75, p. 77, p. 81, p. 85, p. 89, p. 91, p. 93, p. 101, p. 103, p. 107, p. 109, p. 111, p. 115, p. 123, p. 127, p. 129, p. 135, p. 141, p. 143, p. 145, p. 149, p. 151, p. 161, p. 167, p. 169, p. 171, p. 173, p. 177, p. 179, p. 185, p. 187, p. 189, p. 191, p. 205; Simon Walton p. 55, p. 79, p. 159, p. 181; Simon Wheeler p. 95, p. 139, p. 195, p. 211; Geoff Wilkinson p. 31, p. 209.

Todas las recetas de este libro han sido creadas por el equipo editorial de *BBC Good Magazine*:

Sue Ashworth, Lorna Brash, Sara Buenfeld, Mary Cadogan, Barney Desmazeny, Kate Moseley, Vicky Musselman, Angela Nilsen, Maggie Pannell, Thane Prince, Jenny White y Jeni Wright.